まちごとチャイナ
広東省002

はじめての広州
亜熱帯の「二千年都市」
［モノクロノートブック版］

JN122298

西瀼南崴

北回帰線のすぐ南に位置する広東省の省都で、華南最大の都市でもある広州。北京、上海と東南アジアを結ぶ特異な性格をもち、広府と呼ばれる華南屈指の歴史的都市という顔をもつ。広州は秦の始皇帝（紀元前259～前210年）時代以前から南海交易の拠点として開け、2000年以上にわたって繁栄を続けてきた。中国南大門にあたるこの広州への地の利から、香港とマカオは西欧の植民都市となった経緯もある。

　また広州は北京、上海、四川とならぶ中国四大料理のひとつ広東料理の本場でもあり、「食在広州（食は広州に在り）」の言葉は日本でも知られている。豚肉、魚、野菜から珍味まで豊富な食材を背景に、広州では「机以外の4本足、飛行機以外の飛ぶものを食べる」とも言われ、午前中、お茶を飲みな

から点心をつまみ、語らう「飲茶(ヤムチャ)」はこの街ならではの光景となっている。

　このように中国歴代王朝の都がおかれてきた北京から遠いこともあって、広州では南方特有の歴史や文化、言語、また南国の開放的な雰囲気を感じられる。近代に1911年の辛亥革命を指導した孫文が拠点を構えた場所でもあり、1978年以降の改革開放では香港に近い広東省がその最前線となった。越秀山を背後に珠江を前にした2000年来の伝統的な広州古城(旧市街)に対して、21世紀に入ってから東郊外の天河地区(珠江新城)に摩天楼を描く超高層ビル群が現れ、市域は拡大している。

まちごとチャイナ｜広東省 002｜

はじめての
広州

亜熱帯の『二千年都市』

Asia City Guide Production
Guangdong 002
Guangzhou

広州／guǎng zhōu／グァンチョウ
廣州／gwóng jau¹／グゥオンジョウ

『アジア城市（まち）案内』制作委員会
まちごとパブリッシング

Contents

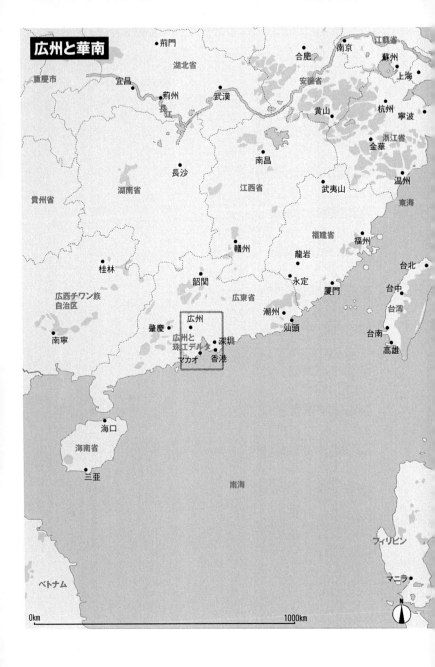

広州と華南

荊門

湖北省

重慶市

宜昌

荊州

武漢

合肥

南京

江蘇省

蘇州

上海

黄山

杭州

寧波

浙江省

金華

貴州省

湖南省

長沙

南昌

江西省

武夷山

温州

東海

福建省

福州

台北

贛州

龍岩

桂林

韶関

永定

厦門

台中

台湾

広西チワン族
自治区

広東省

潮州

台南

南寧

肇慶

広州

深圳

汕頭

高雄

広州と
珠江デルタ

マカオ

香港

海口

海南省

三亜

南海

フィリピン

ベトナム

マニラ

0km

1000km

N

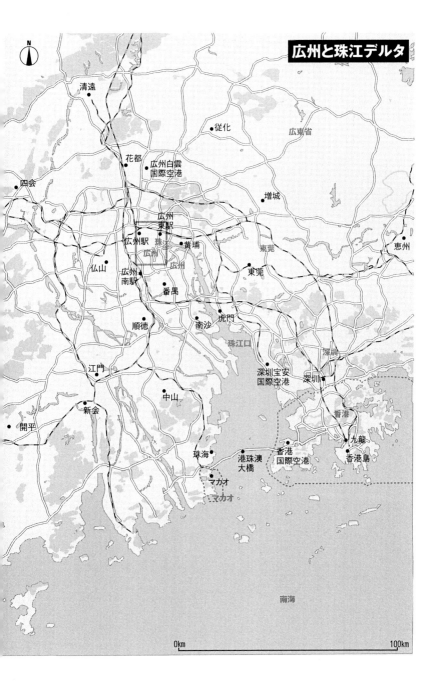

広州と珠江デルタ

N

清遠

従化

広東省

花都

広州白雲
国際空港

四会

増城

広州東駅

恵州

広州駅
珠江
広州
黄埔
東莞

仏山

東莞

広州南駅

番禺

順徳

南沙

虎門

珠江口

深圳

江門

深圳宝安
国際空港

深圳

中山

香港

新会

九龍

開平

珠海

港珠澳
大橋

香港
国際空港

香港島

マカオ

マカオ

南海

0km   100km

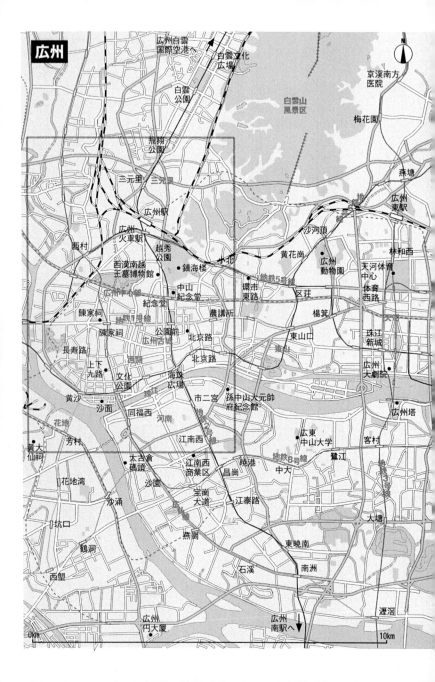

★★★
北京路／北京路 ベイジィンルゥ／バッギィンロウ

鎮海楼 (広州博物館)／镇海楼 チェンハイラァウ／ジャンホイラウ

中山紀念堂／中山纪念堂 チョンシャンジィニェンタン／ジュンサアンゲエイニィントン

沙面／沙面 シャアミィエン／サアミィン

陳家祠 (広東民間工芸博物館)／陈家祠 チェンジィアツウ／チャンガアチィ

★★☆
上下九商業歩行街 (上下九路)／上下九商业步行街 シャンシィアジィウルウ／ソォンハァガァオソォンイッボウハンガアイ

天河／天河 ティエンハア／ティンホォ

広州塔 (広州タワー)／广州塔 グゥアンチョウタア／グゥオンジョウタアッ

★☆☆
越秀公園／越秀公园 ユェシィウゴンュェン／ユッサァウゴォンュゥン

西関／西关 シイグゥアン／サァイグゥアン

珠江／珠江 チュウジィアン／ジュウゴォン

広州大劇院 (広州オペラハウス)／广州大剧院 グゥアンチョウダアジュウュゥエン／グゥオンジョウダアイケッュゥン

Introduction
珠江と白雲山のはざまで

「食在広州」と呼ばれる広東料理の本場
また隋唐以前からの伝統をもつ仏教寺院
花城とたたえられる南国の植生も見られる

広東人と南方都市

　紀元前3世紀の始皇帝時代、番禺と呼ばれた広州の住民のほとんどは漢族とは異なる越系の人びとだったという。その後、中原から南遷してきた漢族と混血することで広東省の南方人がかたちづくられ、混血の度合いや時期によって広府人(広東人)、潮州人、客家人などに分類される。広東人は丸顔で背が低く、彼らの話す広東語には古い中国語の語彙が残り、普通話(北京語)とは外国語ほどの違いがある(たとえば1、2、3は北京語ではイー、アール、サンだが、広東語ではヤット、イー、サンとなる)。広東人の暮らす広州の緯度はキューバのハバナにひとしい北緯22〜23度で、広州市北部を北回帰線の走る亜熱帯性の気候をもつ。また街の中心を珠江が流れることから、湿気が高く緑豊かで、「穂城」「羊城」「花城」といった愛称で親しまれている。

珠江の流れとともに

　広州は珠江デルタのちょうど頂部に位置し、西江、北江、東江といった珠江の支流が合流する地点に開けた(珠江デルタはこれら河川の土砂で形成された。西江などの名称は広州から見て、流れてくる方向に由来する)。珠江をくだると南海へいたり、また

西江、北江、東江を通じて中国内陸部へ続く地の利が、広州を2000年以上にわたって海上交易の拠点という地位にしてきた。かつてインド洋から東南アジア、南海をへて、中国にいたる商船がまずたどり着いたのがこの広州だったことから、歴史的に広州は「中国の南大門」と記されている。唐代には蕃坊という外国人居住区が形成され、10万人ものアラビア人やペルシャ人が広州に暮らしていた。対外窓口という広州の性格は、明清時代も続き、他者への寛容さや開放的な広州人の気質にも影響をあたえたという。

「食在広州 (食は広州に在り)」

　山の幸や海の幸、ありとあらゆる食材を駆使し、素材のもち味を生かした、あっさりとした味つけで知られる広東料理。仔豚の丸焼き「烤乳猪(カオルウヂュウ)」、広東風酢豚「咕嚕肉(グゥルゥロウ)」といった料理が有名で、市場で調達してからテーブルにならぶまでのスピード、食材の新鮮さが重視される(亜熱帯の気候から、他の中華のように強い火で炒める料理が少ない)。いわゆる日本の中国料理は広東料理をルーツとしていることが多く、「ワンタン」「スブタ」「チャーシュー」「シュウマイ」「チャーハン」などは、広東語から日本語へとり入れられた。またヘビや猿、猫、犬、うさぎなどの野生動物が使われることでも知られ、広州の市場では見なれない生きものや食材もならんでいる。饅頭、餃子、焼売、春巻、馬拉糕などの点心をつまみながら、お茶を飲む飲茶は広州の風物詩であり、広州では海の幸をふんだんに使った潮州料理、北方の伝統を伝える客家料理も食することができる。

広州の構成

　広州の街は「珠江」の北岸、「越秀公園(越秀山)」の南麓に開けた。歴代王朝の宮廷は現在の「北京路」あたりにあり、「南

「天下為公」孫文が使った言葉がかかげられている

粤や越という名称で呼ばれてきた南方系の文化

著名建築家による現代建築が集まる新市街の天河地区

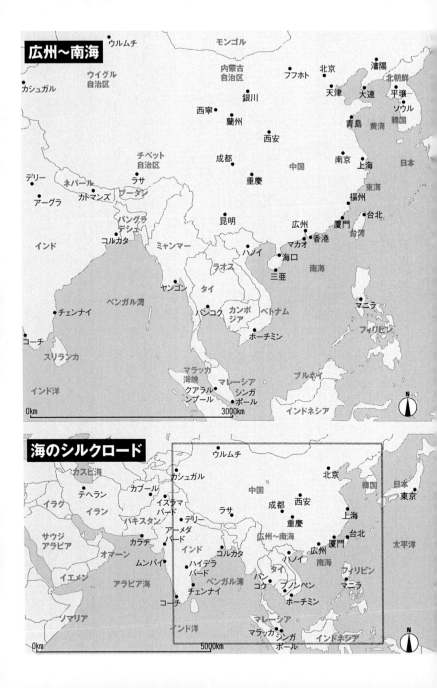

越王宮博物館」「人民公園」などを中心とした広州古城は
2000年以上持続する中国屈指の歴史を誇る。この広州古城
が現在の姿となったのは、明代の1380年のことで、それまで
あった3つの城をつなぎあわせ、北側の「鎮海楼」を頂部に五
角形の街区が現れた。そして、北の越秀山から「中山紀念堂」
「北京路」「天字碼頭(海珠広場)」へと中軸線が続き、広州古城
には南越国、南漢の遺構、1911年の辛亥革命にまつわるもの
が残っている。広州は珠江を通じた港町として発展してき
て、港の位置は現在の「懐聖寺(光塔)」あたりから、珠江の南
遷にともなって南下を続け、明清(14〜20世紀)時代には、西城
外の「西関」が発展した。外国の使節が到着した「懐遠駅」、外
国商人との貿易にあたった十三行が拠点を構えた「文化公
園」、そしてアヘン戦争(1840〜42年)以後に西欧の商館がおか
れた「沙面」がにぎわった。この西関の中心が広州古城西門
から沙面に向かって伸びる「上下九路」で、北京路とならん
で広州屈指のにぎわいを見せ、あたりには商人の邸宅「西関
大屋」や「騎楼」が残っている。近代広州では、これら西関と
ともに広州古城東側の「東山」が発展をはじめ、「東皋大道」
「新河浦」には1920〜30年代に建てられた華僑や官吏の邸
宅(近代建築)が残っている。以後、広州の開発は東へ、東へ進
むことになり、新中国建国の1949年以後、広州東郊外に「華
僑新村」や「環市東路」といった新市街がつくられていった。
1978年、それまでの経済政策から大きく転換する改革開放
がはじまると、さらに東の「天河」が開発区に選ばれた。広州
新市街にあたる天河では北の「広州東駅」から「珠江新城」、
珠江南岸の高さ600mの「広州塔」まで軸線が伸び、高層ビル
が摩天楼を描いている。なかでも、「広州国際金融中心(広州
西塔)」と「広州周大福金融中心(広州東塔)」がその象徴で、珠江
に面した一帯では「広州大劇院」「広東省博物館新館」「広州
市第二少年宮」「広州図書館」といった現代建築群がならん
でいる。

Bei Jing Lu

北京路城市案内

明清時代は双門底の名前で知られた北京路
広州屈指の繁華街であり
歴代王朝の宮廷がおかれた場所でもある

北京路／北京路★★★

㊗ běi jìng lù ㊗ bak¹ ging¹ lou³
べきんろ／ベイジンルウ／バッギンロウ

　北京路は、この街の政治、経済、文化の中心地となってき
た広州随一の繁華街で、広州古城の中心を南北に走る(珠江か
ら越秀山にいたる広州中軸線の中核を形成する)。古くは紀元前3世
紀の南越国の宮廷跡が残っていて、広州を都とした南漢(917
～971年)、続く北宋(960～1127年)時代に、皇城の南側にふたつ
の門をもつ双門楼(拱北楼)があったことから、北京路は双門
底の名前で知られてきた。以来、明清時代を通じて広州の
商業中心地であったため、「千年古道」という名前で呼ばれ
ている。清代の官吏は、珠江の天字碼頭から北京路を歩き、
官衙へ赴任したといい、また中華民国時代(1920～30年)以来
の中華老字号、新大新公司、広州百貨大厦といった大型商業
店舗がならぶ。長さ1450mを超す北京通りの両脇にはアー
ケード状の騎楼が続き、2014年に文化旅游区として整備さ
れて現在にいたる。

北京路の構成

　通りとしての北京路は、珠江に面する天字碼頭(南端)から
広東財政庁旧址(北端)まで続く。北京路は南段と北段にわけ

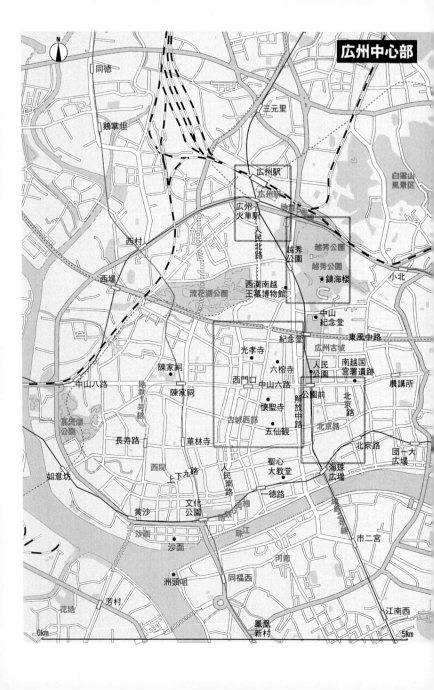

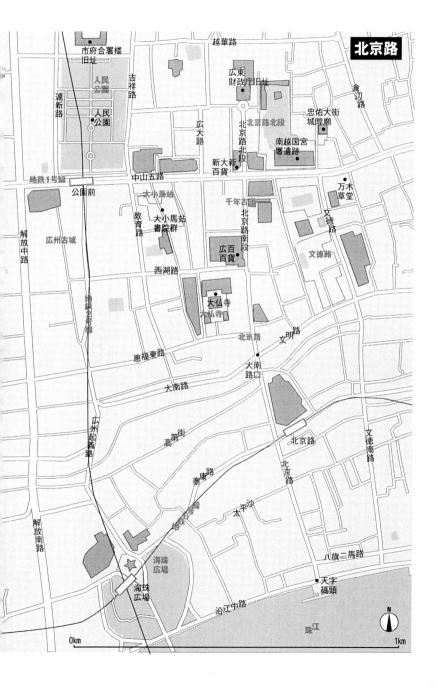

北京路

市府合署楼
旧址

人民
公園

吉祥路

連新路

人民
公園

広東
財政庁旧址

越華路

倉辺路

広大路

北京路北段

忠佑大街
城隍廟

南越国宮
署遺跡

新大新
百貨

万木
草堂

中山五路

地鉄1号線

公園前

大小馬站

大小馬站
書院群

教育路

千年古道

北京路南段

文徳路

広州旧城

解放中路

西湖路

広百
百貨

文徳路

大仏寺
大仏寺

地鉄6号線

北京路
文明路

恵福東路

大南
路口

大南路

高第街

北京路

広州起義路

泰康路

文徳南路

北京路

地鉄2号線

太平沙

八旗二馬路

海珠
広場

海珠
広場

天字
碼頭

解放南路

沿江中路

珠江

N

0km

1km

られ、南段の「千年古道」では、南越国から隋唐、南漢、北宋、明清へといくつもの層が重なっている北京路地下の様子を見ることができる。一方、中山路よりも北の北段は古くは官衙（行政府）のおかれた場所だったが、近代になって商店や料理店が進出し、両脇にはアーケードの騎楼が続いて20世紀初頭のたたずまいを今に伝える。この南北の通り（北京路）を中心に、東の倉辺路、文徳路、西の広州起義路、吉祥路、北の越華路、南の大南路あたりが北京路文化旅游区として整備されている。このエリアに秦漢時代に嶺南を支配下においた「南越国宮署遺跡」、この街の守り神がまつられた「城隍廟」、東西の西湖路と交わる地点に残る「拱北楼遺跡」、南漢以来の「大仏寺」、2000年前の水利技術を今に伝える「南越国水関遺跡」、小さな路地にいくつもの書院がならぶ「大小馬站書院群」、清朝時代に官吏や文人の集まった「文徳路」などの景勝地が集まっている。北京路から西に伸び、大型商業店舗がならぶ「西湖路」、美食街として知られる長さ280m、

北京路北段、騎楼が続く

亀やすっぽんの化石も出土した、南越国宮署遺跡

2000年のあいだ広州の中心だった北京路

壮大な伽藍を見せる大仏寺の弘法大楼

幅21mの歩行街「恵福東路」などいくつもの通りが走って、広州最大の商圏をつくっている。

南越国宮署遺跡／南越国宮署遗址★★☆

㋰ nán yuè guó gōng shǔ yí zhǐ　㋐ naam⁴ yut³ gwok² gung¹ chyu, wai⁴ jik¹

なんえつこくきゅうしょいせき／ナァンユゥエグゥオゴンシュウイイチイ／ナアンユゥグゥオッグゥンチュウワイジッ

　黄河中流域の中華世界から遠く離れた嶺南の地で、広州に都をおいた南越国(紀元前204〜前111年)。紀元前214年に秦の始皇帝が大軍を派遣し、その武将であった趙佗が独立して南越武王を名乗ったことにはじまり、以後、漢王朝の権威を認めながらもこの地で5代続いた。南越国の領域は、広東と広西チワン族自治区、海南、ベトナム北部にまでおよび、南越国宮署遺跡にはその支配拠点がおかれていた(1995年に発掘された)。南越国では住民の多くが越族であったが、漢族の王をいただき、繁栄を見せていた。そして、その後も漢、晋、南朝、隋、唐、南漢、宋、元、明、清というあわせて12の王朝の宮殿がこの地にあったという。地下3〜5mの地点に長さ160mほどの水路が曲流する「南越国曲流石渠遺跡」からは、何百匹もの亀やすっぽん、魚、カエル、ワニ、鳥類などの化石、また番禺が簡略化された名称の「蕃」を刻んだ瓦当のほか、各時代の青銅器や貨幣、工具、武器、陶磁器などが出土している。秦が南海交易や軍の派遣のために造船を行なった「秦造船遺跡」、917年、唐清海軍節度使劉䶮が広州を都に樹立した五代十国のひとつ南漢国(917〜971年)の「南漢国宮殿遺跡」が敷地内に残っている。また隣接して嶺南建築を伝え、広州の守り神をまつった「忠佑大街城隍廟」、中山四路から少しなかに入った長興里に残る清末民初の学者康有為ゆかりの「万木草堂」も見られる。

大仏寺／大佛寺 ★★☆

(北) dà fó sì　(広) daai³ fat⁹ ji³

だいぶつじ／ダアフォオスウ／ダアイファッジイ

　広州北京路近くに立ち、この街を代表する仏教寺院として知られてきた大仏寺。南漢(917〜971年)時代に建てられた歴史をもち、天の二十八宿(中国星座)に対応する南漢二十八寺のひとつだった。この新蔵寺は、その後、荒廃と再建を繰り返して、明(1368〜1644年)代には龍蔵寺と呼ばれて広い伽藍をもっていた。その後、清初(1649年)の戦火で焼けてしまったため、当時、広州をおさめた平南王尚可喜(1604〜76年)は安南王父子を広州拱北楼に招き、そこでベトナムから木材の提供を受けることが決まった。こうして仏教寺院が重建され、大雄宝殿におかれた高さ6m、重さ10トンの3体の大仏像から大仏寺という名称がつけられた。これが大仏寺の中庭に残る大仏古寺で、中華民国、続く新中国初期には資金難に陥ることもあったが、2016年、西湖路に面して地上7階、地下2階からなる9層の弘法大楼が新たに建てられた。堂々としたたたずまいの弘法大楼は、1、2階は毘盧殿、3階は大礼堂、4階は念仏堂、5階は蔵書23万あまりを抱える仏教図書館、6、7階は瞑想や修行のできる禅堂と万仏閣というように垂直(縦)型の伽藍をもっている。大仏路北側の西湖路は、広百百貨、光明広場などの大型ショッピングモールの集まる繁華街、南側の恵福東路はレストランが集まる美食街となっている。

屋根を装飾していく嶺南様式

Yue Xiu Shan
越秀山城市案内

広州発祥の場所にあげられる越秀山
南越国の趙佗がここに越王台を築いたと言われ
すぐ近くの象崗山からは南越王墓が発掘された

西漢南越王墓博物館／西汉南越王墓博物馆 ★★☆

㉓ xī hàn nán yuè wáng mù bó wù guǎn　⑫ sai¹ hon² naam⁴ yut³ wong⁴ mou³ bok² mat³ gún
せいかんなんえつおうぼはくぶつかん／シィハンナンユエワンムウボオウガン／サァイホォンナアムユゥウォンモウボッマッゴオン

　広州古城の中心から北西に少し離れた象崗山(高さ49.17m)
の地中から発見された南越国の第2代文帝趙胡(趙眜)の墓、
西漢南越王墓博物館。南越国第2代文帝(在位紀元前137〜前122
年ごろ)は、始皇帝の武将であった南越国創設者趙佗の孫に
あたり、広州に都をおいて嶺南一帯をおさめた。南越国は紀
元前207〜前111年、中原に漢(西漢)のあった時代の王国で
あるから、西漢南越王墓博物館という名前で呼ばれ、この南
越王墓は1983年に発見された。文帝の石室墓を中心とし、文
帝を包んだ「絲縷玉衣」はじめ、篆書が刻まれた「文帝玉印」
「文帝行璽金印」、亀の彫刻がほどこされた「右夫人璽金印」、
透かし彫りの龍が見られる「龍鳳紋重環玉佩」、宴会や祭祀
のときに使われた青銅の鼎や楽器の鐘、玉器や陶器の壺、金
銀細工などが展示されている。それらからは漢族とは異な
る南方の越系文化の特徴、高い工芸技術がうかがえ、石室墓
は南北10.68m、東西12.24mの規模、「士」の字形のプランを
もつ。

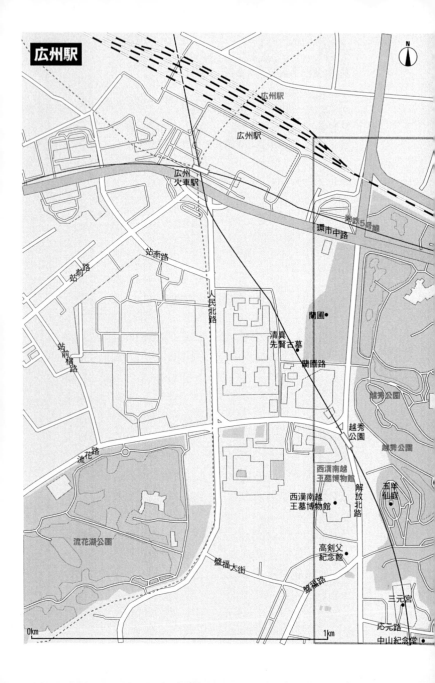

広州駅

広州駅

広州駅

広州
火車駅

地鉄5号線
環市中路

站南路

站
前
路

人
民
北
路

站
前
横
路

蘭圃

清真
先賢古墓

蘭圃路

越秀
公園

越秀公園

流花路

西漢南越
王墓博物館

西漢南越
王墓博物館

解
放
北
路

五羊
仙庭

流花湖公園

盤福大街

高剣父
紀念館

三元宮

盤
福
路

応元路

0km

1km

中山紀念堂

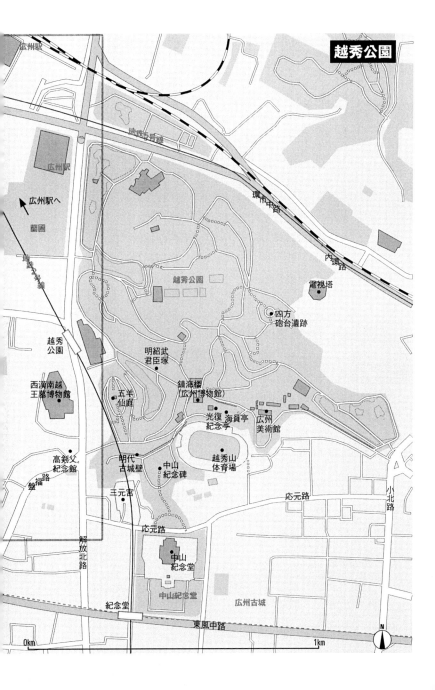

越秀公園

広州駅

広州駅

広州駅へ

蘭圃

越秀
公園

西漢南越
王墓博物館

高剣父
紀念館

福盤
路

解放北路

広州駅

環城鉄道線

環市中路

内環路

越秀公園

電視塔

四方
砲台遺跡

明紹武
君臣塚

五羊
仙庭

鎮海楼
(広州博物館)

光復　海員亭
紀念亭

広州
美術館

越秀山
体育場

明代
古城壁

中山
紀念碑

三元宮

応元路

小北路

応元路

中山
紀念堂

中山紀念堂

広州古城

紀念堂

東風中路

0km　　　　　　　　　　　　　　　　　　　　　1km

N

越秀公園／越秀公园 ★☆☆

(北) yuè xiù gōng yuán　(広) yut³ sau² gung¹ yún

えつしゅうこうえん／ユェシィウゴンユェン／ユッサァウゴォンユゥン

　広州市街を北側から見守るようにそびえる越秀山の地形を利用して展開する越秀公園。越秀山の高さは70mあまりで、山全体が公園となり、1年を通して緑に包まれ、四季折々の花が咲いている。周代に5匹の羊(ヤギ)と仙人が降りたった楚庭はこの地だとされ、越秀公園は広州開闢伝説と関連づけられる。南越国(紀元前204〜前111年)を樹立した趙佗はここに越王台を築いたと言われ、たびたび宴が催された。明代の1380年、広州古城が拡大されたとき、越秀山まで城壁が伸び、北の頂部に鎮海楼が築かれた。ここから珠江をのぞみ、この大河(海)を鎮める願いがこめられたという。明代の「粤秀松涛」「象山樵歌」、清代の「粤秀連峰」「鎮海層楼」など、いずれの時代でも広州八景にあげられ、広州を象徴する場所と見られてきた(公園内に7つの小さな峰と人工湖があり、変化に富んだ地形となっている)。最南端の越井崗に位置し、1911年の辛亥革命を指導した広州ゆかりの孫文に捧げられた高さ37mの「中山紀念碑」、広州古城の周囲にめぐらされた明代の城壁「広州古城壁」、広州に稲穂をもたらし、以後、この街は餓えることがなくなったという伝説にちなむ石彫の「五羊仙庭」、清代の1653年に広州古城防衛のためにおかれた「四方砲台遺跡」、1929年に建設され、翌年に完成した仲元図書館を前身とする「広州美術館」などが公園各地に点在する。ま

★★★
鎮海楼 (広州博物館)／镇海楼　チェンハイラァウ／ジャンホイラウ
中山紀念堂／中山纪念堂　チョンシャンジィニェンタン／ジュンサアンゲエイニィントン

★★☆
西漢南越王墓博物館／西汉南越王墓博物馆　シィハンナンユエワンムウボオウウガン／サァイホォンナアムユゥウォンモウボッマァゴオン
五羊仙庭／五羊仙庭　ウゥヤンシィアンティン／ンンイェンシンテェン

★☆☆
越秀公園／越秀公园　ユェシィウゴンユェン／ユッサァウゴォンユゥン

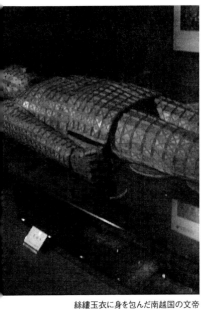

絲縷玉衣に身を包んだ南越国の文帝

5人の仙人と5匹の仙人がこの街に穀物をもたらした、五羊仙庭

広州古城の北側から街を見守るように立つ鎮海楼

象崗山を利用した西漢南越王墓博物館

た越秀山南麓の風水上優れた場所には、広州屈指の道教寺院「三元宮」が立つ。

鎮海楼 (広州博物館) ／鎮海楼★★★
℞ zhèn hǎi lóu ㉊ jan² hói lau⁴
ちんかいろう(こうしゅうはくぶつかん)／チェンハイラァウ／ジャンホイラウ

越秀山のもっとも高い小蟠龍崗に立ち、5層、高さ28m、幅31mの赤砂岩の堂々とした楼閣の鎮海楼(広州博物館)。明代の1380年、永嘉侯朱亮祖による広州古城の造営にあわせてその北端に整備された。この楼閣に登ると、珠江の波打つ青い波が見え、望海楼とも、「海(珠江)」を鎮める鎮海楼とも呼んだ。現在、広州博物館として開館していて、アヘン戦争時に使用された大砲が入口におかれているほか、1~4階に広州の歴史や各時代の文物、陶器や青銅器などが展示されている(収蔵品は2万点にもなる)。「五嶺以南第一楼」「嶺南第一勝概」とたたえられ、広州を代表する建築にあげられる。

五羊仙庭／五羊仙庭★★☆
℞ wǔ yáng xiān tíng ㉊ ng, yeung⁴ sin¹ ting⁴
ごようせんてい／ウゥヤンシィアンティン／ンンイェンシンテェン

広州に稲穂をもたらしたという5人の仙人と5匹の羊(ヤギ)の伝説にちなむ五羊仙庭(五羊石雕)。昔むかし(紀元前の周代)、広州には大空と海のような珠江が広がるばかりで、土地も豊かでなく、人びとは充分な衣服や食料をもっていなかった。ある日、広州が飢饉におちいったとき、色とりどりの服を着た5人の仙人が、稲穂をくわえた5匹の羊に乗り、空から降りてきたという。そして広州に穀物をもたらし、以後、この街が餓えることはなくなった。花崗岩製の5匹の羊(五羊石雕)は、1959年に建立され、高さ11m、130トンを超し、もっとも大きな羊は頭だけで2トンある。広州の別名「羊城」「穂城」はこの故事にちなむ。

Gu Cheng
広州古城城市案内

古くから城市がおかれてきた広州旧市街
鎮海楼から珠江へ続く街並みに
寺院や旧址などが点在する

中山紀念堂／中山纪念堂★★★
⑭ zhōng shān jì niàn táng　⑭ jung¹ saan¹ géi nim³ tong⁴
ちゅうざんきねんどう／チョンシャンジィニェンタン／ジュンサアンゲエイニィントン

　越秀山の南麓、広州古城をつらぬく中軸線上に立つ八角
形、青瑠璃瓦屋根の中山紀念堂。広州を拠点として、1911年
の辛亥革命を成功に導いた「中国革命の父」孫文(1866～1925
年)の業績をたたえている。「革命未だならず」の言葉を残し
て孫文が北京で客死すると、清代に督練公所(督軍衙署)があ
り、1921年に孫文が大総統に就任した場所でもあるこの地
に中山紀念堂が建設されることになった。選ばれた建築家
は呂彦直で、背後の中山紀念碑とともに設計され、風水、中
国の伝統的な建築をふまえながら、大胆なデザインと構造
をもつ建築が完成した。正門にあたるアーチ状の三孔大拱
門の「大門楼」、広大な「中山紀念堂広場」、左右対称に建てら
れた一対の「雲鶴華表」というように、南から北に続き、大堂
の前方中央には「孫中山銅像」が配置されていて、高さ5.5m、
重さ3.9トンで、孫文による『建国大綱』の内容も見える。そし
て「中山紀念堂大堂」は八角形の古宮殿式プラン、高さ
52mで、前面には孫文が好んで使った『礼記』の文言「天下為
公(天下を公となす)」の額が飾られている(内部は柱を使わないふ
きぬけの巨大なホールとなっている)。広州市民や華僑の資金協力
もあって1928～31年に建てられ、当時は国民政府のもと政

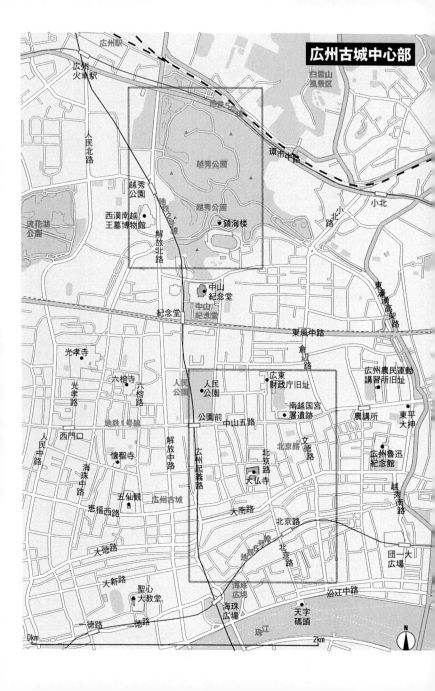

広州古城中心部

広州駅
広州火車駅
白雲山風景区
地鉄5号線
人民北路
環市中路
越秀公園
越秀公園
小北
地鉄2号線
越秀公園
流花湖公園
西漢南越王墓博物館
鎮海楼
解放北路
北小路
東濠涌高架路
中山紀念堂
中山紀念堂
紀念堂
東風中路
倉辺路
光孝寺
広州農民運動講習所旧址
六榕寺
人民公園
人民公園
広東財政庁旧址
六榕路
南越国宮署遺跡
農講所
東平大押
光孝路
地鉄1号線
公園前
中山五路
広州魯迅紀念館
人民中路
西門口
解放中路
懐聖寺
北京路
文徳路
大仏寺
越秀南路
海珠中路
広州起義路
五仙観
広州古城
恵福西路
大南路
北京路
大徳路
北京路
地鉄6号線
団一大広場
大新路
聖心大教堂
海珠広場
沿江中路
一徳路
徳路
海珠広場
天字碼頭
珠江
0km
2km
N

治、経済、文化の分野で広州が中国屈指の繁栄をしていた時代でもあった。

孫文とは

孫文(1866～1925年)は、清末、北京から遠く離れた広東省香山(現在の中山市)の農家の家に生まれた。当時の中国は、広州を舞台に1840～42年のアヘン戦争、1851～64年の太平天国の乱が起こり、時代の変革が求められていた。孫文は少年時代、成功した華僑の兄をたよってハワイに移住し、アメリカでキリスト教や西欧式の教育、民主主義にふれた。そして18歳のときに帰国し、広州、香港、マカオなどで医学を学び、また医者として働きながら、清朝打倒の革命運動をはじめた。孫文最初の蜂起は、日清戦争直後の1895年で、以後、何度も蜂起を試みるが、そのたびに失敗し、亡命生活をしいられた(そしてその亡命先として、同じ東洋の国でありながら、明治維新を成功させた日本がたびたび選ばれている)。こうしたなか孫文は、民族主義、民権主義、民生主義という三民主義の思想を確立していき、アメリカ亡命中の1911年に孫文は辛亥革命の勃発を知り、帰国後、臨時大総統となって1912年に中華民国を発足さ

★★★
北京路／北京路 ベイジィンルゥ／パッギィンロウ
鎮海楼 (広州博物館)／鎮海楼 チェンハイラァウ／ジャンホイラウ
中山紀念堂／中山紀念堂 チョンシャンジィニェンタン／ジュンサアンゲエイニィントン

★★☆
南越国宮署遺跡／南越国宮署遺址 ナァンユゥエグゥオゴンシュウイイチイ／ナアンユッグゥオッグゥンチュウワイジッ
大仏寺／大佛寺 ダアフォオスウ／ダアイファッジイ
西漢南越王墓博物館／西汉南越王墓博物馆 シィハンナンユエワンムウボオウウガン／サイホォンナアムユッウォンモウボッマゴオン
光孝寺／光孝寺 グアンシャオスウ／グゥオンハアウジイ
六榕寺／六榕寺 リィウロンスウ／ロクヨンジイ
懐聖寺／怀圣寺 ファイシェンスウ／ワアイシィンジイ

★☆☆
越秀公園／越秀公园 ユェシィウゴンユェン／ユッサアウゴォンユゥン
五仙観／五仙观 ウウシィアングゥアン／ンシィンヴン
聖心大教堂／圣心大教堂 シェンシィンタァン／シィンサアンダアイガアウトォン
珠江／珠江 チュウジイアン／ジュウゴオン

せた。辛亥革命後も中国各地に軍閥が跋扈し、「革命未だな
らず」という言葉を残して孫文が死んだことも知られてい
るが、孫文の意思は蒋介石や毛沢東に受け継がれていった。
孫文は孫中山とも表記され、広州でしばしば見られる「中
山」という文言は孫文が日本亡命中に名乗った「中山樵(なか
やまきこり)」にちなむ。また英語では、孫文の字(あざな)の孫
逸仙を広東語読みした「Sun Yat-sen(サンヤットセン)」と呼ばれ
る。

光孝寺／光孝寺★★☆
⑪ guǎng xiào si ⑭ gwóng¹ haau² ji³
こうこうじ／グアンシャオスウ／グゥオンハアウジイ

　広東省でもっとも由緒正しい仏教寺院にあげられる光
孝寺。古くは南越国の第5代趙建徳(紀元前112～前111年)の邸
宅、三国時代に広州に左遷された呉の官吏虞翻(164～233年)
の旧居「虞苑(園林)」がこの地にあったという。こうしたなか
東晋の隆安年間(397～401年)にインド人の仏僧曇摩耶舎がカ
シミールから広州に入り、ここに光孝寺の前身となる王園
寺を建立した。そして「海のシルクロード」を通じてインド
人仏教僧が訪れて経典や仏法をもたらし、菩提達磨が広州
を訪れて禅宗を中国に伝えたことも知られる。唐代、この達
磨の禅の流れを受け継ぐ六祖慧能(638～713年)がこの寺に来
て、菩提樹のもとで髪をそり落として受戒し、布教にあたっ
た。このように嶺南仏教の伝統が育まれ、南宋の1151年、光
孝寺と改称されて現在にいたる。東晋(317～420年)に創建さ
れ、その後、1654年に修建されたブッダをまつる「大雄宝殿」
はじめ、南漢(917～971年)時代のもので中国最古級の鉄塔と
して知られる「東西鉄塔」、六祖慧能を記念して1008年に建
てられ、明清時代を通じて何度も再建されている「六祖殿」、
その前方の六祖慧能が剃髪、受戒した地に立つ八角7層、高
さ7.8mの「瘞髪塔(六祖髪塔)」、502年、インド人高僧智薬三蔵
が広州にもたらしたブッダガヤゆかりの「菩提樹」が見られ

広州は1911年の辛亥革命の舞台になった街のひとつ

広東省でもっとも古い仏教寺院の光孝寺

高さの57.6mの六榕寺花塔が天に向かってそびえる

堂々とした孫文像と中山紀念堂

古城西部

方便医院
旧址

市一大道

百霊路

紀念堂

中山
紀念堂

解放北路

市府合署楼
旧址

府前路

光善寺

光孝寺

六榕寺

六榕寺

六榕路

広東
迎賓館

人民北路

光孝路

海珠北路

大院
旧墟

地鉄1号線

西門口

中山六路

公園前

倫文叙
紀念広場

瑪瑙巷

広州起義路

広州古城

光塔路

懐聖寺

懐聖寺

解放中路

錫安堂

海珠中路

光塔

紙行路

人民中路

龍津東路

仙鄰巷

米市路

学宮街

光復中街

甜水巷
嶺南
第一楼

恵福西路

妙吉祥室
(観音楼)

五仙観

中国労動組
合書記部南
方分部旧址

地鉄2号線

読書路

象牙街

大徳路

人民路

広州新塘

大新路

白米巷

上九路
上下九路

濠畔街
清真寺

海珠南路

聖心
大教堂

解放南路

海珠
広場

人民南路

状元坊

万菱
広場

海珠
広場

一徳路

売麻街

一徳路

地鉄6号線

珠江

N

0km

1km

る。この寺院の伽藍は宋代の様式を残し、華南に現存する最古の建築だと言われる。

六榕寺／六榕寺★★☆
🀄 liù róng sì 🀄 luk³ yung⁴ ji²
ろくようじ／リィウロンスウ／ロクヨンジイ

　天に向かって伸びる9層の美しい仏塔「花塔」がそびえる六榕寺。この仏教寺院は南朝梁代の537年に創建され、外交使節の沙門曇裕法師がカンボジアより招来した仏舎利をおさめていた。唐の650年、仏塔から光が放たれたことで宝輪和尚は寺院と仏塔を重修、また続く南漢でも篤く仏教が信仰され、その後の宋代の989年に重修されて浄慧寺となった。そして宋代の1100年、左遷された蘇東坡が訪れたとき、敷地内に咲いていた6株の榕樹（ガジュマル）をたたえたことから、「六榕寺」の名前で呼ばれるようになった。もともとは他の仏教寺院同様、南向きの伽藍だったが、明初の1373年、伽藍の半分が永豊倉（穀物倉）に転用されたときに山門は撤去され、その後の1375年に改築されたときに東側に山門がおかれた。こうした経緯もあって、歪な伽藍配置となっていて、寺院の中心には、宋代の1097年修建の直径12m、八角形、9層からなる高さ57.6mの花塔がそびえる（花塔とは、六榕寺近くに駐屯していた八旗兵たちによるもので、太陽の光を受けて輝くこの塔の色彩がまるで花のようなので名づけられた）。その周囲に、1913

広州古城城市案内

★★★
中山紀念堂／中山纪念堂 チョンシャンジィニェンタン／ジュンサアンゲエイニィントン
★★☆
光孝寺／光孝寺 グアンシャオスウ／グゥオンハアウジイ
六榕寺／六榕寺 リィウロンスウ／ロクヨンジイ
懐聖寺／怀圣寺 ファイシェンスウ／ワアイシィンジイ
上下九商業歩行街（上下九路）／上下九商业步行街 シャンシィアジィウルウ／ソォンハァガァオソォンイッボウハンガアイ
★☆☆
五仙観／五仙观 ウウシィアングゥアン／ンンシィングウン
聖心大教堂／圣心大教堂 シェンシィンタァン／シィンサアンダアイガアウトォン
珠江／珠江 チュウジイアン／ジュウゴォン

年建立の「六祖堂」、1988年創建で清代の様式をもつ「観音殿」、花塔西側奥の「大雄宝殿」が位置する。

懐聖寺／怀圣寺★★☆

🇳 huái shèng sì 🇬 waai⁴ sing² ji³
かいせいじ／ファイシェンスウ／ワアイシィンジイ

唐代の627年に創建された中国で最初のイスラム教モスクの懐聖寺。光塔路沿いに立つ直径8.66m、高さ36.6mの円形ミナレットの光塔で知られ、光塔寺、懐聖光塔寺とも呼ぶ。唐(618〜907年)代、多くのイスラム教徒が広州に訪れ、蕃坊という居留地をつくり、当時、10万人ものアラビア、ペルシャ商人が広州で暮らしていたという。それは当時の珠江がこのあたりを流れていたためで、光塔は灯台の役割を果たしていた。懐聖寺とはイスラム教の創始者「ムハンマドを思慕する」を意味し、このモスクはムハンマド(570年ごろ〜632年)在世中に創建されている(中国に派遣された4人の門徒のうち、ムハンマド母の兄弟アブー・ワッカース＝宛葛素による)。「前門」にはアラビア文字の表記が見られるほか、「三道門」「看月楼」「礼拝殿」「碑亭」「光塔」などから構成され、中国様式の伽藍配置とイスラム教モスクの要素があわさっている。やがてイスラム教徒は漢族と混血して回族を形成し、信仰告白・礼拝・喜捨・断食・巡礼の五行を行ない、食事や生活習慣が漢族と異なるため、懐聖寺(モスク)の近くで集住した。集団礼拝では、ここ懐聖寺の礼拝殿に回族が集まって、西のメッカのほうに向かって礼拝する。

五仙観／五仙观★☆☆

🇳 wǔ xiān guān 🇬 ng, sin¹ gun¹
ごせんかん／ウウシィアングゥアン／ンンシインウウン

色とりどりの服を着た5人の仙人が、稲穂をくわえた5匹の羊(山羊)に乗って現れたという周代の広州開闢神話にもとづく五仙観。晋(265〜420年)代の広州刺史呉修が、五仙観を

三元宮とならんで広州を代表する道教寺院の五仙観

唐代にさかのぼるイスラム教のミナレットが立つ懐聖寺

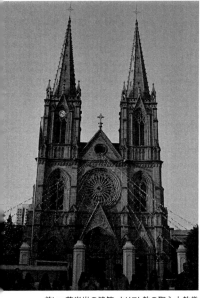

美しい花崗岩の建築、キリスト教の聖心大教堂

こちらは人民公園に位置する広州市のガバメント

建立したと伝えられ、北京路、教育路というように何度も場所を変えていた。明代の1377年に現在の場所で再建され、鎮海楼、海山楼、拱北楼とあわせて、広州の四大崇楼のひとつとして知られた嶺南第一楼も位置する。五仙観の位置する恵福西路が走るこのあたりは、晋代に珠江北岸の碼頭があったところで、「坡山古渡」と呼ばれて広州を代表する景勝地でもあった。五仙観西側の甜水巷には、肉や野菜の食材店がならぶ。

聖心大教堂／圣心大教堂★☆☆

⑪ shèng xīn táng ⑭ sing² sam¹ daai³ gaau² tong⁴
せいしんだいきょうどう／シェンシィンタァン／シィンサアンダアイガアウトォン

　広州古城南側の新城に立つ広州最大のキリスト教会の聖心大教堂。清代、もともとこの地は両広総督の葉名琛(1807～59年)の邸宅があったところで、第2次アヘン戦争(1856～60年)でイギリスとフランス軍に焼かれてしまった。そして、1858年の天津条約でこの地はフランスに割譲され、フランスによるカトリック教会が建てられることになった(中国へのキリスト教布教は、清代に一度頓挫したのち、19世紀のアヘン戦争後に進んだ)。1863年に着工してから、25年の月日をかけて1888年に竣工し、花崗岩製の外観、高さ58.5mの2本の塔をもつ美しいたたずまいを見せる。当時のフランス皇帝ナポレオン3世の支援のもと、フランス人建築家によって設計されていて、その姿はフランス本土のノートルダム大聖堂を思わせる。印象的な花崗岩から石室天主堂とも呼ばれ、「石室」の愛称でも親しまれている。近くの一徳路は、果物市場、野菜市場、魚市場の集まる「三欄(3つの市場)」とも呼ばれ、軒先にならぶ魚やエビ、貝などの干しもの、サンザシなどが独特の匂いを放っている。

広府粤文化の中心

北京語とは互いに通じない広東語や
背丈が低くて丸顔の広東人
食、芸能などで独特の広東文化が花開いた

最初にたどり着いた

　しばしば広州を「中国南大門」と呼ぶのは、広い中国全土から見て広州が南端に位置し、海を通じて東南アジアやインドに続く立地をもつことによる。これは逆に言えば、インド人、アラビア人やペルシャ人、ヨーロッパ人など、海をわたって中国を目指した者が、最初にたどり着く大都市が広州であったことを意味する。広州古城西部には、嶺南でもっとも由緒正しい仏教寺院の「光孝寺」、中国でもっとも早い唐代の627年に建てられたイスラム教モスクの「懐聖寺」、高さ57.6mの花塔をもつ仏教寺院の「六榕寺」、広州開闢伝説につらなる道教寺院の「五仙観」が集まっている。これは唐代、珠江に面した港がこのあたりに立っていたため、懐聖寺光塔や六榕寺花塔は灯台の役割を果たしていた。これらの宗教のうち、イスラム教は中国でもっとも早い627年に広州に伝播していて、仏教は255年、道教は306年ごろに伝わったという。これは広州という街が中原から遠く離れていて、中国化(仏教や道教の伝来)したのが遅く、一方、海路を通じて伝来したイスラム教徒や大航海時代のキリスト教徒はまず広州に到着したため、より早く異世界の文化が伝来したことを示している。

九広鉄路で広州へ

　香港九龍と広州を結ぶ鉄道を、九広鉄路(中国側では広九鉄路)と呼ぶ。アヘン戦争(1840〜42年)で香港を獲得したイギリスは、香港から華南最大の街である広州へと伸びる九広鉄路の建設をかかげ、1899年に九広鉄道建設の権利を中国から得た。1911年に九広鉄路が完成し、当時の広州駅は広州古城南東外側の大沙頭(大沙頭駅)にあった。鉄道旅客数の急増、線路が街を分断していること、広州市街の拡大などの理由から、1950年代に新しい広州駅の建設が構想された。いくつかの場所が検討されたのち人民北路を動線とする西側の流花地区に決まり、正方形でシンプルなソビエト式の広州駅は1974年に完成した。当時の中国はソ連など東側諸国同様に共産主義体制がとられていて、イギリス領香港(西側諸国)から九広鉄路で中国本土の広州(東側諸国)に入ることは、単なる国境越え以上の意味をもっていた。やがて天河の開発にあわせて広州東郊外にあった天河駅が広州東駅と改名され、1996年に現在の姿で再建された。そして、この広州東駅が広州と香港、深圳、東莞を結ぶ九広鉄路の広州側の駅となっている。

毎年開かれる広州交易会

　買いつけのためのバイヤーが世界中から集まる見本市の広州交易会。1949年の建国後、閉ざされた共産主義国家であった新中国にとって、外貨を稼ぎ、世界との交流の道を開く目的で1957年春、広州交易会が創設された。その舞台となった広州は、歴史的に中国の対外窓口となってきた経緯があり、くわえて西側(当時のイギリス領)の香港から鉄道1本(九広鉄路)で入れる利便性もあった。自動車などの工業製品はじめ、電化製品や雑貨、漢方薬まで中国全土からの品々が展示され、春と夏に広州で開かれるこの見本市(広州交易会)

中国東南沿岸部で発達したアーケード式の騎楼

イスラム教の伝統が続く広州、アラビア文字が見える

天河の対岸にそびえる高さ600mの広州塔

魯迅が広州滞在時に利用していた、魯迅紀念館

の正式名称を「中国出口商品交易会」と呼ぶ。広州交易会が開かれる時期、世界中の商人、バイヤーがこの街に集まるため、広州のホテルの価格は大幅にあがり、それでも宿泊できないほどの混雑ぶりを見せる。現在、広州交易会は、広州郊外の広州国際会議展覧中心で開催されている。

広州と華僑

　原籍を中国においたまま海外に進出した中国人を「仮住まい（僑）の中国人（華）」を意味する華僑。南海に面した中国東南沿岸部の広東省、福建省はこの華僑を多く輩出してきたことで知られ、航海技術の進歩とともに海上交易が盛んになった宋元（10〜14世紀）ごろから東南アジア各地で華僑社会が見られるようになった。西欧が大航海時代を迎える明清時代（14〜20世紀）に、中国から華僑として海を渡る人たちはより増え、「海水到るところに華僑あり」と言われるまでになり、アヘン戦争（1840〜42年）後、多くの華僑がアメリカで鉄道敷設や鉱山開発のための労働に従事した。この華僑のなかには現地で成功して財をなす者も多く、なかには故郷（中国）に錦をかざる者も現れた。1911年の辛亥革命にあたって、広州や広東省が清朝打倒の中心となったこと、国民政府が広州におかれたこと、広東省が華僑を多く輩出していたことなどから、20世紀初頭、祖国のためにと、多くの華僑が広州に戻ってきた。また1949年の新中国成立にあわせて華僑が帰国して国づくりに参加し、20世紀末以降の改革開放、天河の開発にあたっても華僑の資金や力が原動力となった。革命家孫文（1866〜1925年）もハワイ華僑のひとりで、広州に戻って1911年の辛亥革命を牽引したことでも知られる。

粤劇（広東オペラ）とは

　世界でも屈指の複雑さで、膨大な文字体系「漢字」が使わ

れてきた中国では、歴史的に文字の読み書きができる官吏(科挙の合格者)が力をもち、一方で民衆は演劇などを通して、世界や物語にふれてきた。粤劇は京劇、昆曲などともに中国各地で受け継がれてきた地方劇のひとつで、大戯、また広東大戯ともいう。鮮やかな色彩の美しい衣装を着た俳優が、優雅な節(音楽)、歌、セリフ、仕草、立ちまわりを演じ、二弦、提琴、月琴、簫、三弦、銅鑼といった楽器を使う。南宋の温州で生まれた「南戯」の系譜をもち、広州に隣接する仏山を発祥地とし、明の嘉靖年間(1521〜66年)から広東、広西に広がっていた。当初は中原音韻(戯棚官話)が使われ、1930年代までは広東なまりの普通話(北京語)で演じられていたという。やがて広東語で粤劇が演じられるようになり、サックスフォン、トランペット、ヴァイオリン、ギターといった西欧楽器もちいられるなど、独特な劇として発展をとげた。広州をはじめとする広東省、香港、マカオのほか、広東華僑の進出した東南アジア、アメリカなどでも粤劇が演じられている。

日本と広州

　戦前(1945年以前)、広州には最高で9000人ほどの日本人が住んでいた。日本の広州進出は、1873年に香港領事館を設立し、日清戦争(1894〜95年)で台湾を獲得したことで本格化する。日本はその対岸の福建省から中国本土への展開を試み、1888年、広州沙面に日本領事館が開設された。そして1900年、台湾総督府の命令航路により、基隆〜香港間、高雄〜広州間の航路が設置され、大阪商船がそれをになった。1902年に三井物産が広州支店を開き、台湾銀行は1907年、横浜正金銀行が1924年に広州支店を設立し、1938年、日本軍が広州を占領した。三井物産は北京路、三菱商事や横浜正金銀行、日本領事館は沙面、伊藤忠は一徳路、岩井は長堤大馬路に拠点を構え、太平路(現在の人民路)に日本人街があり、そのほかにも敬愛路(中山路)、北京路、長堤大馬路で日本人の

姿が見られた(日本の領事館や銀行、商社のある沙面北街は、昭和路と呼ばれていた)。

珠江デルタから粤港澳大湾区へ

　大航海時代の1557年、マカオにポルトガル人の上陸が認められて植民都市となり、アヘン戦争(1840〜42年)に勝利したイギリスが香港を獲得した。こうして広東省に隣接してふたつの植民都市が形成され、20世紀末には香港は世界有数の経済力をもつ都市へと発展していた。こうしたなか1978年より、改革開放が決まると、「香港」に隣接する「深圳」、「マカオ」に隣接する「珠海」に開発区がおかれて、資本主義の要素をとり入れられることになった。その影響は経済のみにとどまらず、香港の実業家が資金を提供し、1996年に完成した「南沙天后宮」、香港圓玄学院の出資で1998年、創建された「圓玄道観」など、多方面におよんだ。開発は深圳と広州のあいだの東莞、仏山、中山といった広州郊外に隣接する街にもおよび、都市と都市のあいだが比較的近いこと、珠江を通じて海路で結ばれていること、2018年に珠江を越えて香港とマカオを結ぶ「港珠澳大橋」がかかったことなどから「珠江デルタ＝港澳大湾区(大湾)」経済圏の一体感が高まっている。

Xi Guan

西関城市案内

西関とは広州古城の西門外のエリアをさす
西関大屋や騎楼といった
近代広州の面影を今に伝える

西関／西关★☆☆

㊗ xī guān � sai¹ gwaan¹
せいかん／シイグゥアン／サァイグゥアン

　広州古城、天河、環市東路といった広州市街部にあって、明清時代(14〜20世紀)から中華民国時代に広州屈指のにぎわいを見せた西関。広州古城の西門外のエリア(西関)は、古くから港町の性格をもっていて、唐(618〜907年)代に禅宗を伝えた菩提達磨の上陸地点「西来初地(華林寺)」も位置する。そして明代に入ると、西欧人による広州(中国)の進出とともに、貿易を行なう十三行が西関におかれて、中国商人がこの地に邸宅を構えるようになった。清代、対外交易が広州一港に限定されていたため、中国と西欧の物資の集散地「カントン(広州)」の名声はヨーロッパにまで届いていたという。そしてアヘン戦争(1840〜42年)後、西関沙面に西欧の商館や領事館の集まる租界が築かれ、現在でも美しい西欧風の街並みが残っている。また清末民初の商人や官吏の邸宅は「西関大屋」と呼ばれ、近代以降に現れたアーケード街の「騎楼」とともに西関名物となっている。現在の西関の中心地は、かつての水路にそって通りが走る「上下九路」で、広州酒家、陶陶居、蓮香楼といった広東料理の老舗がならんでいる。人民路より西に上下九路から第十甫路、恩寧路、龍津西路へと続いていくエリアは、広東オペラの粤劇をはじめ、近代広州の芸

広州古城と西関

N

同徳

鵝掌坦

捷鉄8号線

元里

広州駅

西村

人民北路

地鉄2号線

西場

流花湖公園

西漢南越王墓博物館

越秀公園

越秀公園

鎮海楼

小北

白雲山風景区

中山紀念堂

東風中路

紀念堂

広州火車駅

光孝寺

六榕寺

広州古城

人民公園

南越国宮署遺跡

農講所

陳家祠

中山七路

西門口

中山六路

北京路

中山八路

地鉄1号線

陳家祠陳家祠

西関角

懐聖寺

解放中路

公園前

北京路

荔湾湖公園

西関大屋

長寿路

上下九路

上下九路

華林寺

西関

五仙観

北京路

海珠広場

北京路

聖心大教堂

団一大広場

人民南路

徳路

瀚珠広場

如意坊

黄沙

文化公園

一徳路

沙面

沙面

珠江

河南

市二宮

同福西

江南西

芳村

鳳凰新村

0km

5km

N

長寿路

徳鉄1号線

長寿西路

西関

光復中路

華林寺

文昌南路

錦綸会館

華林寺

徳星路

上九路

上九路

光復南路

上下九広場

上下九商業歩行街

上下九

下九路

広州酒家

下九路

康王南路

楊巷路

平安大戯院

第十甫路

蓮香楼

懐遠駅旧址

柴欄路

陶陶居

第十甫路

十八甫路

地鉄6号線

十三行路

和平西路

洗基路

珠璣路

十八甫

十八甫南路

梯雲路

清平路

清平中薬材専業市場

文化公園

文化公園

地鉄8号線

六二三路

十三行博物館

西堤二馬路

沙面北街

郵政博覧館

沙面大街

錦徳聖母堂

沙面

沙面街

粤海関旧址

西堤

イギリス領事館

沙面南街

フランス領事館

珠江

Okm　　　　　　　　　　　　1km

能や庶民の文化を育んできた場所でもある。

上下九商業歩行街(上下九路)／上下九商业步行街★★☆
⑪ shàng xià jiǔ lù ⑫ seung³ ha³ gáu seung¹ yip³ bou³ hang⁴ gaai¹
じょうげきゅうしょうぎょうほこうがい(じょうげきゅうろ)／シャンシィアジィウルウ／ソォンハァガァオソォンイッボウハンガアイ

　　広州古城の西門(新城の太平門)から沙面に向かって、珠江の
流れと並行して走る上下九商業歩行街(上下九路)。北京路と
ならぶ広州最大の繁華街で、広州酒家、蓮香楼といった広東
料理の名店、劇場、書店、小吃店、衣料や雑貨店など、3000を
超す店舗が通りの両脇にずらりと軒を連ねている。この上
下九商業歩行街の最大の特徴は、1930年代に整備された騎
楼というアーケードで、1階は店舗、2階以上は住居として
利用されている。騎楼空間では風雨や太陽の日差しをふせ
ぐことができ、人びとが談笑したり、店舗の一部として使わ
れたりしている。上下九路という名称は、清代にこのあたり
にあった第一甫から第十九甫までの19(また第十八甫までの18)

食は広州にあり、名店の広州酒家

沙面の東に立つ粤海関大楼

美しい尖塔をもつキリスト教会の露徳聖母堂

アヘン戦争以後、沙面に現れた欧風建築

父系宗族の発達した華南の祠堂建築、陳家祠

広州は華南最大の大河珠江の恵みで育まれた

恩寧路に立つ粵劇芸術博物館

上下九商業歩行街（上下九路）はこの街屈指の繁華街

の町内会のような街区「甫」からとられている。東の上九路、西の下九路、さらにその西の第十甫へとにぎわいは続いていく。全長1218m。

飲茶を楽しむ広東人

　点心をつまみながらお茶を飲んで、談笑する広州や香港の名物として知られる飲茶(ヤムチャ)。饅頭、餃子、焼売、春巻、馬拉糕などの多種多様な点心(おやつ、小吃)があり、飲茶の場は、広州人の娯楽、談笑、商談、社交場になってきた。飲茶は茶楼ですませることが多く、茶楼には高級茶楼から庶民向けの茶楼までがあり、陶陶居(1880年開業)、蓮香楼(1889年開業)、広州酒家(1935年開業)といった老舗が上下九商業歩行街に位置する。また茶楼で劇が演じられることも多く、粤劇はこうした庶民に接するなかで発展していった。

珠江／珠江★☆☆
㊗ zhū jiāng ㊫ jyu¹ gong¹
しゅこう／チュウジアン／ジュウゴォン

　華北の黄河、華中の長江に対して、珠江は華南最大の河川で、「パール・リバー (真珠の流れ)」という美しい呼称をもつ。最大の流域面積をもつ全長2129㎞西江はじめ、北江、東江という3つの代表的な支流からなり、これら3つの流れが集まる場所に広州の街は開けた。歴史的に珠江はしばしば「小海」と表記されるなど、海のように広く、河港(内港)の広州に対して、東郊外の黄埔が海港(外港)となっている。そこから先は、獅子洋、伶仃洋というように川幅を広げていき、南海にいたる(珠江口には虎門や崖門など8つの門があり、そこから海にそそいだ)。かつてのイギリス領香港、ポルトガル領マカオはこの珠江の河口部に位置し、広州と水路で結ばれていた。

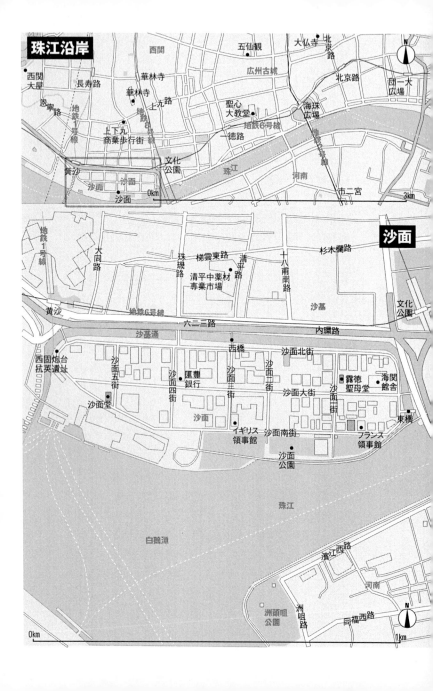

珠江沿岸

N

西関
五仙観
大仏寺
北京路
団一大
広場

西関
大屋
長寿路
華林寺
広州古軌
北京路

恩寧路
地鉄一号線
華林寺
上九路
聖心
大教堂
地鉄6号線
海珠
広場

上下九
商業歩行街
一徳路

黄沙
沙面
文化
公園
珠江
河南

沙面
沙面
0km
市二宮
3km

沙面

地鉄1号線

大同路

梯雲東路
清平路
清平中薬材
専業市場
十八甫南路
杉木欄路

珠璣路

黄沙
地鉄6号線
六三三路
内環路
沙基
文化
公園

沙基涌

西橋
沙面北街

西固炮台
抗英遺址
沙面五街
沙面四街
沙面三街
匯豊銀行
沙面二街
沙面一街
沙面大街
沙面北街
霊徳聖母堂
海関館舎

沙面堂
沙面
イギリス領事館
沙面南街
フランス領事館
東橋

沙面公園

珠江

白鵝潭

濱江西路

河南

洲頭咀公園
洲咀路
同福西路

N

0km
1km

沙面／沙面★★★

⊕ shā miàn ⊛ sa¹ min³
さめん／シャアミィエン／サアミィン

　　西欧の商館や領事館、美しい街並みが見られる、珠江に浮かぶ人工島の沙面。二度のアヘン戦争後の1861年に清とイギリスのあいだで「沙面租約協定」が結ばれ、西欧の領事館と商館の建設が決まった。中国人社会と接触しないようにするため、北側に川を掘って堤防をつくって島状とし、1865年にイギリス領事館、1890年にフランス領事館がおかれた。それまで清朝によって貿易が制限されていたが、広州では沙面を中心にジャーディン・マセソン商会をはじめとして、西欧の銀行、商社、航運などの会社が立て続けに沙面に進出した(沙面はそれまで西欧商人が拠点とした十三行夷館のすぐそばだった)。ここは珠江がふた手にわかれる地点であり、また白鵝潭という河床が深くなる場所であったので、貿易のための河港としてふさわしかった。東西900m、南北300mの楕円形の島は周囲に塀がめぐらされ、2本の橋だけで広州市街と結ばれ、自由に往来することは制限されていた。沙面にはイギリスやフランスのほか、ロシア、日本、アメリカ、ドイツ、ポーランドといった諸外国が進出し、19世紀以来の53の西欧建築が残っている。

★★★
沙面／沙面 シャアミィエン／サアミィン
北京路／北京路 ベイジィンルウ／バッギィンロウ

★★☆
上下九商業歩行街(上下九路)／上下九商業歩行街 シャンシィアジィウルウ／ソォンハァガァオソォンイッボウハンガアイ
大仏寺／大佛寺 ダアフォオスウ／ダアイファッジイ

★☆☆
西関／西关 シイグゥアン／サアイグゥアン
珠江／珠江 チュウジイアン／ジュウゴオン
西関大屋／西关大屋 シイガンダァウウ／サアイグゥアンダアイオ
五仙観／五仙観 ウウシィアングゥアン／ンンシイングウン
聖心大教堂／圣心大教堂 シェンシンタァン／シィンサアンダアイガアウトォン

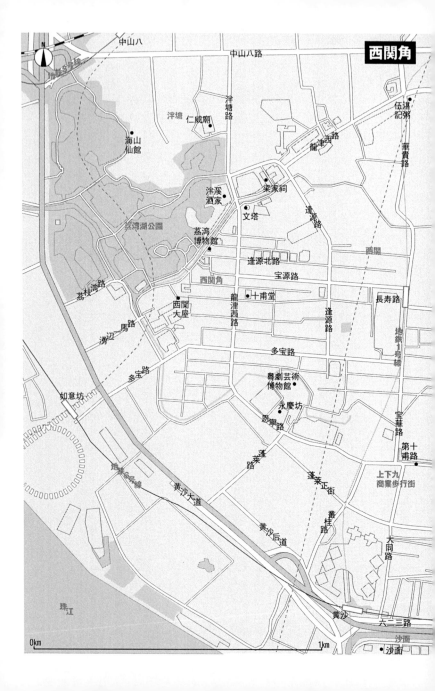

沙面の構成

　沙面は珠江に浮かぶ東西900m、南北300mの楕円形状の島で、第2次アヘン戦争(1856〜60年)で勝利したイギリスが西5分の4を、フランスが東5分の1を占領した。イギリス租界にかかるのが西橋(イングランド橋)、フランス租界にかかるのが東橋(フランス橋)で、このふたつの橋が広州の中国人社会と沙面の西欧人社会を結んでいた。沙面の中央を東西に走るのが長さ846m、幅30mの沙面大街で、島の北側が沙面北街、珠江に面する南側が沙面南街となっている。そして、東から西にかけて沙面一街から五街までが南北に走り、両租界の境界であった沙面一街より東にフランス風の建築、西にイギリス風の建築が残る。その権威を見せるように沙面島のちょうど中央南岸の最高の立地にイギリス領事館、その隣にイギリス系の太古洋行が立っていた。また沙面大街にはイギリス系匯豊銀行(香港上海銀行)、横浜正金銀行・旧アメリカ領事館、台湾銀行広州支行なども残る。フランス領事館は東橋の近くに位置し、近くにはフランス郵便局、露徳聖母堂などの美しい建築が見られる。

西関大屋／西关大屋★☆☆
㊗ xī guān dà wū ㊌ sai¹ gwaan¹ daai³ uk¹
せいかんだいおく／シーガンダァウウ／サアイグゥアンダアイオッ

　清末民初(20世紀初頭)に西関に建てられた商人や官吏の大邸宅を「西関大屋」と総称する。広東語では家を「屋企(オッケ

沙面／沙面 シャアミィエン／サアミィン

★★☆
上下九商業歩行街(上下九路)／上下九商业步行街 シャンシィアジィウルウ／ソォンハァガァオソォンイッポウハンガアイ

★☆☆
西関／西关 シーグゥアン／サアイグゥアン
珠江／珠江 チュウジイアン／ジュウゴォン
西関大屋／西关大屋 シーガンダァウウ／サアイグゥアンダアイオ

イ)」もしくは「屋(オッ)」といい、西関大屋とは「西関にある大きな邸宅」を意味する。銀行家であった陳廉伯(1884〜1945年)の邸宅「陳廉伯公館」、イギリス香港上海銀行の買弁をつとめた陳廉仲(1884〜1974年)の故居を利用した「荔湾博物館(陳廉仲故居)」、広州商人の豪勢な邸宅を利用した「西関民俗館」、十九路軍の総指揮をつとめた軍人の「蒋光鼐故居」などがその代表格にあげられる。これら西関大屋は、2〜3階建てで、灰色レンガの壁をもち、満州窓(装飾窓)、木製の三重扉、主体建築を中央とする三路と青雲巷と呼ばれる通路を配置する三間両廊のプランという様式をもつ。西関大屋のならぶ荔湾湖公園一帯は、宋代以来の泮塘(村)があったところで、1052年創建の仁威廟も残っている。また西関を代表する広東料理の名店「泮渓酒家」、近代広州経済の一翼をになった質屋の「宝慶大押旧址」も位置する。

陳家祠(広東民間工芸博物館)／陈家祠★★★

北 chén jiā cí 広 chan⁴ ga¹ chi⁴
ちんかし(かんとんみんかんこうげいはくぶつかん)／チェンジィアツウ／チャンガアチィ

　広東省の陳一族の共通の祖先をまつった華南最大規模の祠堂建築の陳家祠。陳家祠の前方、中山七路に面して陳氏書院広場(前庭)があり、その奥に広東省72県の陳氏共通の祠はじめ、大小19の書院がならんでいる。アヘン戦争後に外交官であった陳蘭彬の提唱で、1888〜93年に建てられ、漢代の太邱太祖(河南省)こと陳実(103〜186年)がまつられている(陳一族は、宋代以来の南遷した中原の名門望族につらなる系譜をもつ)。華南地方では姓を同じくする父系(男性)の同族集団を宗族

が発達し、一族が広州の科挙のときに利用するなど、学ぶための書院、祭祀の場、互助組織の中心として使われた。聚賢堂を中心に幅80m、奥行80mの正方形プランをもち、前後を「前(首)、中、後」の「進」、横を「東、中、西」の「庁」で表す三路三進の建築となっている。陳家祠は外に対して開放的な嶺南建築で、空間は風が通って心地よい。「花脊(花の尾根)」とも呼ばれる陶器製の屋根の装飾、花や果物、鳥や獣、歴史上の故事、粤劇の人物の描かれた石灰を使った彫刻、浮き彫りのほどこされた梁や柱、豪華な調度品などは、嶺南芸術の傑作にたたえられる。刺繍、玉器、陶器などの民間工芸品を展示する広東民間工芸博物館として開館している。

Xin Cheng

新市街城市案内

**古く広州の街は越秀公園の南にあったが
街の拡大とともに東部が開発されるようになった
天河地区には超高層ビル群が林立する**

天河／天河★★☆
🀄 tiān hé 🀄 tin¹ ho⁴
てんか／ティエンハア／ティンホォ

　広州の新市街にあたる天河には、広州国際金融中心(広州西塔)、周大福金融中心(広州東塔)、広州大劇院、広東省博物館新館などの高層ビル、現代建築が集まり、珠江の対岸には高さ600mの広州塔がそびえている。広州東郊外だったこの地は20世紀末までほとんど何もなかったが、改革開放の流れを受けて、1985年に開発区に選ばれ、以来、急速に発展をとげた。香港やマカオ、西側諸国、華僑などから投資が続き、人、もの、資金が集まって、それまでにない大規模な街区が出現した。香港と鉄路で結ばれている広州東駅を北端とし、天河体育中心(かつての天河村があったところで、天河という地名はここに由来する)、天河中心区(天河路)と続き、その南が摩天楼を描く珠江新城となっている。これらはちょうど越秀山を北端とし、珠江へのぞむ広州古城の中軸線と対応し、天河は21世紀の広州の政治、経済、文化の中心地となっている。また「広州CBD(中央商務区)」として広東省、香港、マカオを一体化させる「粤港澳大湾区(グレーター・ベイエリア)」の中核的存在としての役割が期待される。

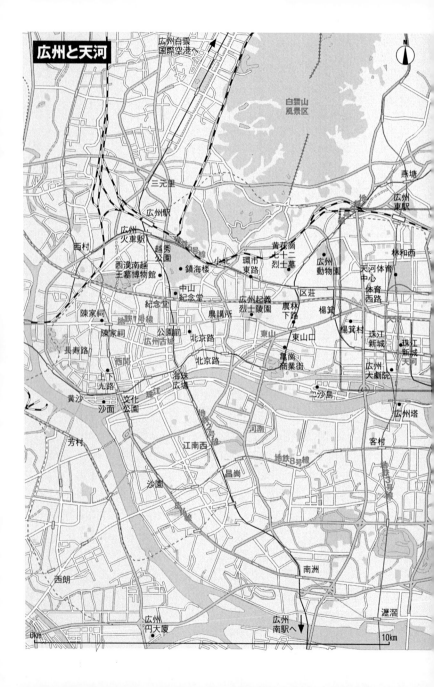

広州と天河

広州白雲
国際空港へ

三元里

広州駅

広州
火車駅

西村

越秀
公園

西漢南越
王墓博物館

鎮海楼

小北

黄花崗
七十二
烈士墓

環市
東路

広州
動物園

林和西

天河体育
中心

中山
紀念堂

広州起義
烈士陵園

農林
下路

楊箕

体育
西路

陳家祠

農講所

区荘

白雲山
風景区

燕塘

広州
東駅

楊箕村

珠江
新城

珠江
新城
天河

広州
大劇院

陳家祠

公園前

広州古城

北京路

東山

東山口

長寿路

西関

北京路

亀崗
商業街

上下
九路

海珠
広場

黄沙

文化
公園

沙面

沙島

江南西

河園

広州塔

客村

芳村

昌崗

地鉄8号線

沙園

南州

西朗

瀝滘

広州
円大厦

広州
南駅へ

0km

10km

地鉄3号線

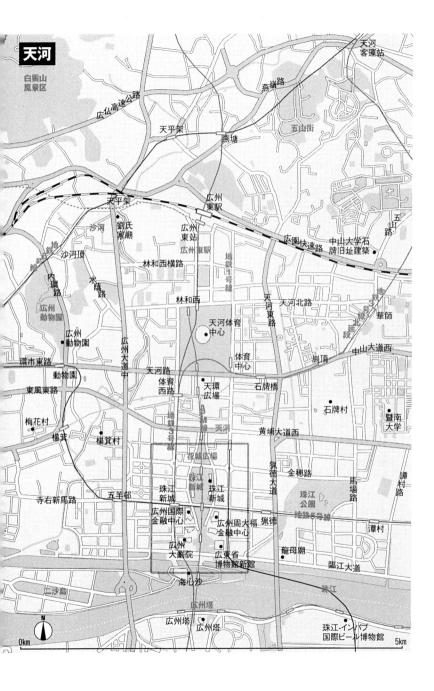

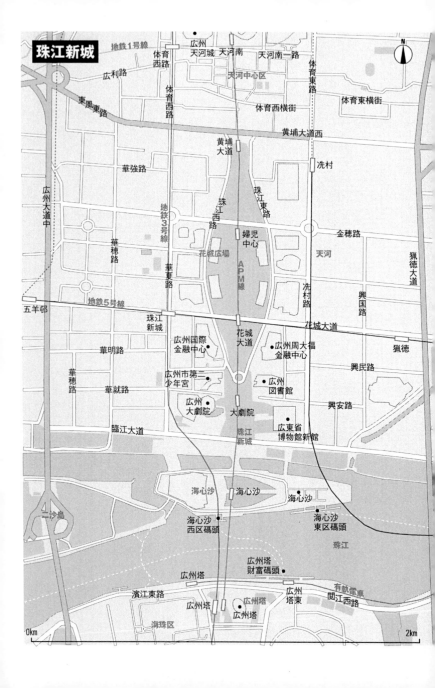

広州国際金融中心／广州国际金融中心 ★☆☆

北 guǎng zhōu guó jì jīn róng zhōng xīn 広 gwóng jau¹ gwok² jai² gam¹ yung⁴ jung¹ sam¹

こうしゅうこくさいきんゆうちゅうしん／グゥアンチョウグゥオジジンロンチョンシン／グゥオンジョウグゥオッザイガアムユンジョオンサアム

　　2003年に建てられた103階建て、高さ440.75mの超高層建築の広州国際金融中心。ビジネスオフィス、高級ホテルなどが入居していて、「広州西塔」と通称される。ガラスのカーテンウォールでおおわれ、丸みをおびた三角形が伸びあがるような美しい姿を見せる。英語ではGuangzhou International Finance Center、日本語では広州国際金融センターと表記される。

★★★
北京路／北京路 ベイジンルウ／パッギンロウ
鎮海楼 (広州博物館)／镇海楼 チェンハイラァウ／ジャンホイラゥ
中山紀念堂／中山纪念堂 チョンシャンジィニェンタン／ジュンサアンゲエイニィントン
沙面／沙面 シャアミィエン／サアミィン
陳家祠 (広東民間工芸博物館)／陈家祠 チェンジィアツゥ／チャンガアチィ

★★☆
天河／天河 ティエンハア／ティンホォ
広州塔 (広州タワー)／广州塔 グゥアンチョウタア／グゥオンジョウタアッ
西漢南越王墓博物館／西汉南越王墓博物馆 シィハンナンユエワンムウボオウウガン／サァイホォンナアムユッウォンモウボッマッゴオン
上下九商業歩行街 (上下九路)／上下九商业步行街 シャンシィアジィウルウ／ソォンハァガアオソォンイッボウハンガアイ

★☆☆
広州国際金融中心／广州国际金融中心 グゥアンチョウグゥオジジンロンチョンシン／グゥオンジョウグゥオッザイガアムユンジョオンサアム
広州周大福金融中心／广州周大福金融中心 グゥアンチョウチョウダアフウジンロンチョンシィン／グゥオンジョウジョウダアイフッガアムユンジョオンサアムウン
広州大劇院 (広州オペラハウス)／广州大剧院 グゥアンチョウダアジュウユゥエン／グゥオンジョウダアイケッユウン
広東省博物館新館／广东省博物馆新馆 グゥアンドォンシェンボォウウガンシングァン／グゥオンドォンサアンボッマッグゥンサアングゥン
広州市第二少年宮／广州第二少年宫 グゥアンチョウディアアシャオニィエンゴオン／グゥオンジョウダアイイシィウニングゥオン
越秀公園／越秀公园 ユェシィウゴンユェン／ユッサァウゴオンユゥン
西関／西关 シイグゥアン／サァイグゥアン
珠江／珠江 チュウジイアン／ジュウゴオン

広州周大福金融中心／广州周大福金融中心★☆☆

北 guǎng zhōu zhōu dà fú jīn róng zhōng xīn　広 gwóng jau¹ jau¹ daai³ fuk¹ gam¹ yung⁴ jung¹ sam¹

こうしゅうしゅうだいふくきんゆうちゅうしん／グゥアンチョウチョウダアフウジィンロンチョンシィン／グゥオンジョウジョウダアイフッガアムユンジョンサアム

　隣接する広州国際金融中心(広州西塔)とともに、双子塔を形成する広州周大福金融中心(広州東塔)。2014年に完成し、地上111階、高さ530mで西塔よりも高い。周大福は香港を拠点とする財閥系企業で、この周大福金融中心は広州の新たなビジネス拠点、流行発信地という性格をもつ。

はじめての広州／亜熱帯の「二千年都市」

広州大劇院 (広州オペラハウス)／广州大剧院★☆☆

北 guǎng zhōu dà jù yuàn　広 gwóng jau¹ daai³ kek³ yún

こうしゅうだいげきいん／グゥアンチョウダアジュウユエン／グゥオンジョウダアイケッユウン

　コンサートや歌劇が行なわれる多目的文化施設の広州大劇院(広州オペラハウス)。イラク系のイギリス人建築家ザハ・ハディドによる設計で、珠江の水に洗われた2つの石がイメージされているという。珠江新城のランドマークとなっている。

広東省博物館新館／广东省博物馆新馆★☆☆

北 guǎng dōng shěng bó wù guǎn xīn guǎn　広 gwóng dung¹ sáang bok² mat³ gún san¹ gún

かんとんしょうはくぶつかんしんかん／グゥアンドォンシェンボウウガンシングァン／グゥオンドォンサアンボッマッグゥンサアングゥン

　広東省の伝統工芸である象牙玉をモチーフとした黒の直方体の外観をもつ広東省博物館新館。広東省博物館はもともと広州古城(越秀区)にあったが、2010年にここ天河で開館した。広東省の歴史と民俗、芸術、自然という幅広い分野をあつかい、青磚、満洲窓で彩られた広州西関の様子、宋代の書画、恐竜の化石などの展示が見られる。

広州市第二少年宮／广州第二少年宫★☆☆

北 guǎng zhōu dì èr shào nián gōng　広 gwóng jau¹ dai² yi³ siu² nin⁴ gung¹

こうしゅうしだいにしょうねんきゅう／グゥアンチョウディアアシャオニィエンゴォン／グゥオンジョウダアイイィシィウニングゥオン

　少年宮は、中国の小中学生が課外活動を行なう場で、ここ

珠江に面する広州大劇院（広州オペラハウス）

国際金融中心と周大福金融中心が門のようにそびえる

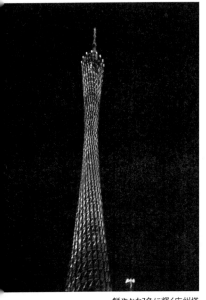
鮮やかな7色に輝く広州塔

キューブ状の外観を見せる広東省博物館新館

から多くの人材が輩出されてきた。広州市第二少年宮は美しい銀色の外観、曲線をもった現代建築で、イベントの内容を投影する巨大スクリーンもそなえられている。2005年に完成した。

広州塔（広州タワー）／广州塔★★☆

⑱ guǎng zhōu tǎ　⑭ gwóng jau¹ taap²
こうしゅうとう／グゥアンチョウタア／グゥオンジョウタアッ

　本体454mで、先端の146mのアンテナをあわせて高さ600mの広州塔。美しい女性の身体のように、ちょうど腰の部分が細くなっている塔身をもち、「小蛮腰（くびれた腰）」という愛称をもつ（うえに向かって45度回転させてある）。広州塔には高さ428mと高さ433mの地点に、ふたつのテーマ別展望台が配置されていて、360度さえぎるものがなく、広州の街全体を見渡すことができる。2010年に開業した。

Jiao Qu
広州郊外城市案内

広州東に位置し、海港がおかれていた黄埔
また北の花都は汽車城としても知られる
かつて郊外だった地の一体化が進んでいる

广州国際会議展覧中心／广州国际会议展览中心★☆☆

㋫ guǎng zhōu guó jì huì yì zhǎn lǎn zhōng xīn　㋭ gwóng jau¹ gwok² jai² wui³ yi, jin laam, jung¹ sam¹

こうしゅうこくさいかいぎてんらんちゅうしん／グゥアンチョウグゥオジイフゥイイイチャンランチョンシン／グゥオンジョウグゥオッザイウィイイジインラアムジョオンサアム

　中国を代表する展覧場で、広州交易会の会場としても使われる広州国際会議展覧中心。このあたりは珠江に浮かぶ小さな島の琶洲があり、琶洲展館、広州国際会議展覧センターとも呼ぶ。13の展示ホール、約13万平方メートルの展示面積をもつ。

黄埔軍校旧址／黄埔军校旧址★☆☆

㋫ huáng bù jūn xiào jiù zhǐ　㋭ wong⁴ bou² gwan¹ haau³ gau³ ji

こうほぐんこうきゅうし／フゥアンブウジュウンシィアオジィウチイ／ウォンボォウグゥアンハアウガオジイ

　辛亥革命後の1924年、広州でかなった第1次国共合作を受けて創立が決まった黄埔軍校旧址。総理に孫文(1866～1925年)、初代校長に国民党の蒋介石(1887～1975年)、政治主任に共産党の周恩来(1898～1976年)が就任し、1926年、地名をとって黄埔軍官学校となった。党のもとに軍をおいていたソ連の援助を受けて、軍の将校を育てる意図があり、校長をつとめた蒋介石が孫文死後、権力を掌握していくのはこの黄埔軍校時代に多くの軍人を教え子にもったことによる。黄埔は大型船の遡航できる広州の外港にあたり、古くは南海神

廟のある北岸が黄埔の港だったが、土砂の堆積によって明清時代に珠江南岸に港がおかれた。開校から60年にあたる1984年に黄埔軍官学校旧址として整備され、軍校旧址包括校本部を中心に孫総理紀念碑、孫総理紀念室などが残っている。

南海神廟／南海神庙 ★☆☆

㉜ nán hǎi shén miào ㉟ naam⁴ hói san⁴ miu³
なんかいしんびょう／ナンハァイシェンミャオ／ナアムホオイサァンミゥ

航海の守り神である南海神をまつった「海のシルクロード」の起点、広州を象徴する南海神廟。ちょうど珠江の外江(海)と内江(川)を結ぶ地点に位置し、東江の珠江への合流点でもあることから、古くからこの地は海上交通の要衝となってきた(海上の日の出を望むことができた)。隋文帝の594年、航海の安全を願って、南海神をまつる廟が建てられ、海上交易の安全を願う歴代皇帝による石碑がいくつも残っている。南海神は、東南西北という四つの方角を守護する四神のなかでも、もっとも重要な地位をしめ、この南海神をまつる「大殿」を中心に、海からの日の出を見る場所「浴日亭」、明代と清代の「碼頭」、清代の広東巡撫葉名琛による「海不揚波牌坊」、洪聖王(南海神)夫人に捧げられた「昭霊宮」などが展開する。また、唐代、インドのパーラ朝(8～12世紀)の使者、達奚司空がこの地に菩提樹を植えたとも、海神をまつる神殿をつくったともいう。

★★☆
天河／天河 ティエンハァ／ティンホォ
広州塔（広州タワー）／广州塔 グゥアンチョウタア／グゥオンジョウタアッ

★☆☆
広州国際会議展覧中心／广州国际会议展览中心 グゥアンチョウグゥオジイフゥイイイチャンランチョンシン／グゥオンジョウグゥオッザイウィイイジインラアムジョオンサァム
黄埔軍校旧址／黄埔军校旧址 フゥアンブウジュゥンシィアオジイウチイ／ウォンボォウグゥアンハアウガオジイ
南海神廟／南海神庙 ナンハァイシェンミャオ／ナアムホオイサァンミゥ

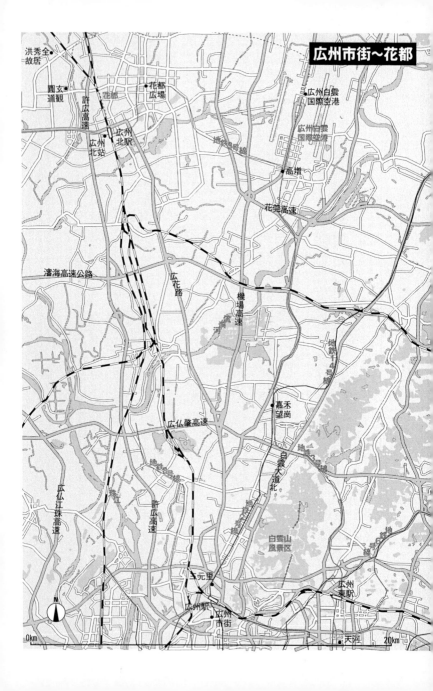

広州市街～花都

洪秀全・故居

闇玄道観

許広高速

花都

花都広場

広州白雲国際空港

広州白雲国際空港

広州駅

広州北駅

広北站

高増

花莞高速

瀋海高速公路

広花路

機場高速

機場十号線

嘉禾望崗

広仏肇高速

白雲大道北

広仏江珠高速

許広高速

白雲山風景区

三元里

広州東駅

広州駅

広州市街

天河

N

0km   20km

洪秀全故居／洪秀全故居★☆☆

⑪ hóng xiù quán gù jū ⑫ hung⁴ sau² chyun⁴ gu² geui¹
こうしゅうぜんこきょ／ホォンシィウチュゥエングウジュウ／ホォンサァウチュウングウゴォイ

広州から北に35km、周囲を山に囲まれたかつての農村地帯(花都)に残る洪秀全故居。洪秀全(1814〜64年)はここ花都で客家の家庭に生まれ、官吏を志してたびたび広州での科挙にいどんだが、ことごとく落第した。そして、皇帝を中心とする儒教体制に批判的になり、キリスト教の教え『観世良源』の影響を受けて、太平天国(1851〜64年)の乱を起こした。「天下を一家として、皆が太平に恵まれる(キリスト教的価値観)」をかかげた洪秀全の太平天国は、広西の金田村からはじまり、南京を都として清朝をおびやかしたが、やがて鎮圧された。洪秀全故居は清軍によってとりつぶされたあと、1961年に再建された。洪秀全故居紀念館と、隣接する官禄布の洪秀全故居から構成され、洪秀全が生まれ育った客家の民居の様子が再現されている。

★★☆
天河／天河 ティエンハア／ティンホォ
★☆☆
洪秀全故居／洪秀全故居 ホォンシィウチュゥエングウジュウ／ホォンサァウチュウングウゴォイ
珠江／珠江 チュウジイアン／ジュゥゴォン

広州交易会の舞台でもある広州国際会議展覧中心

蒋介石と周恩来が指導にあたった黄埔軍校旧址

太平天国はここからはじまった、洪秀全故居

航海の安全を願う祭祀の行なわれた南海神廟

Machi No Utsurikawari
城市のうつりかわり

**中国文明が育まれた中原からはるか南方の地
南海交易の拠点として街は発展し
広州は2000年を超える歴史をもつ**

古代（～紀元前3世紀）

　中原から見て、広州の位置する華南（嶺南）は「文明のいたらぬ野蛮な地」とされ、漢民族とは異なる南方の原住民（越族）が暮らしていた。古代周の紀元前9世紀に楚の国が広州に「楚庭（城郭の意味）」を建てたと言われ、また春秋戦国時代に越王勾践に滅ぼされた呉の王族が広州へ逃れてきて南武城を築いたとも伝えられる。当時の広州は大きな空と海（珠江）が広がるばかりで、あるとき街は飢饉に襲われた。すると、天から5人の仙人と穀物をくわえた5匹の羊（山羊）が現れて人びとを救い、以後、広州は餓えることがなくなったという。この周代の楚庭や五羊伝説は「越秀公園」と関係があるとされ、このあたりが広州発祥の地とされる。その後の紀元前214年、始皇帝による遠征で中国の版図となり、広州に番禺県がおかれて、本格的に街が築かれていった。当時、中国では南方の香料や象牙へのあこがれが強く、広州はそれら物資の集散地としての性格をすでにもっていたという。

南越、漢、呉（紀元前3～3世紀）

　秦末期の混乱のなかの紀元前207年、南海郡の官吏だった趙佗は、番禺（広州）を拠点に自立して、南越国を開き、北京

路近くに行政府「南越国宮署遺跡」、第2代趙眜の墓が「西漢南越王墓博物館」に残っている。この南越国は、今の広東省、広西チワン族自治区から北ベトナムにまでおよび、住民のほとんどを越系の人びとがしめていた。南越国は、趙佗から5代にわたって続いたが、西安には前漢（西漢）があったことから、西漢南越王といった言葉が使われ、紀元前111年、武帝によって前漢の支配下に入っている。前漢、後漢に続く3世紀の三国時代には呉の領域となり、この時代、はじめて広州という名前が現れた（226年、孫権が広東、広西、北ベトナムをふくむ「公州」の東部を「広州」、西部を「公州」とした）。広州古城の古刹「光孝寺」の地に南越国第5代趙建徳の邸宅、呉の官吏虞翻（164～233年）の園林があったと伝えられる。

魏晋南北朝（3～6世紀）

　4世紀以降、華北が北方民族の支配下に入ると、漢族は南方で東晋（317～420年）を建国し、この時代、南海交易が盛んになったことから、多くの文化や物資が広州に流入するようになった（また華北の混乱を避けて、客家の人びとが段階的に南方へ移動をはじめた）。広州東郊外の黄埔区に位置する南崗鎮扶胥鎮には、晋代の265年から港があり、のちの隋（581～618年）代、この地に南海神廟（扶胥港）がつくられている。また南朝の領域にあった広州では仏教が盛んになり、「光孝寺」はこの時代から続く古刹として知られるほか、502年、南朝梁の武帝のときに菩提達磨が広州を訪れて禅宗を中国に伝えた。菩提達磨の上陸地点は、「西来初地（華林寺）」と呼ばれ、当時はこのあたりに広州河港があったと考えられている。

隋、唐（6～10世紀）

　南北朝時代から再び中国を統一したのが北朝から出た隋（581～618年）で、この時代に広州東郊外に南海神廟がつくら

れている。40年の支配ののち、隋は唐(618〜907年)にとって替わられた。唐の都長安(西安)には世界中から人びとが集まり、シルクロードを通じてペルシャやインドの文化が入ってきた。また都から遠く離れた広州は海上交易拠点として目覚しい発展を遂げ、イスラム商人が集住する「蕃坊」と呼ばれる居住区がもうけられ、広州に滞在するアラビア人やペルシャ人は10万人を数えたという。広州古城蕃坊の「懐聖寺」はアラビアでムハンマドが在命中の唐代の627年に創建され、中国でもっとも早く建てられたイスラム教モスクとなっている。また黄河中流域から見て、はるか南方の地であることから、広州は役人の左遷場所、流刑地という性格もあった。

南漢、宋、元 (10〜14世紀)

　唐末期に起きた黄巣の乱では、広州に暮らす外国商人が12万人も殺害されたという記録が残っている。この乱を契機に唐は滅亡し、中国は五代十国時代に入るが、広州をおさめたのは南海交易で財をなしていた劉隠の一族が樹立した南漢(917〜971年)だった。この時代、広州は興王府と呼ばれ、それまで広州中心部に立っていた番山、禺山が平らになり、興王府の南門から南の通り(現在の「北京路」)に商店がならぶようになった。南漢では仏教が篤く信仰され、北京路の「大仏寺」はこの時代に建てられている。宋(960〜1279年)代に入っても広州の繁栄は続き、1244年、皇城の南にふたつの門をもつ双門楼(拱北楼)が建てられ、以来、双門底の名で知られる「北京路」の発展がはじまった。千年古道や千年古都という呼びかたは、この北京路が宋代以来の繁栄を見せていることによる。一方で、宋から元(1271〜1368年)代にかけて、南宋の都杭州へより近かった福建省泉州が、中国随一の海上交易拠点として台頭した(南宋は1279年、広州近くの崖山で滅亡している)。また10世紀の宋代より多くの人が華僑として広州

周代以来という歴史をもつ越秀公園

広州市街からも視界に入る中山紀念碑

広州動物園のキリン

広州を都とした南越国と南漢ゆかりの北京路

から東南アジアへ進出をはじめたこと、中原の混乱をさけて漢族が南下して広州郊外に集落(現在の城中村)を築くようになったことも特筆される。

明、清 (14〜19世紀)

　明(1368〜1644年)代に入ると、鄭和がインド洋から東アフリカまで航海に乗り出すなど、海上交易はさらに活発に進んだ(鄭和は二度、広州から南海へ出発している)。またこの時代、大航海時代を迎えたポルトガルがインド洋を越えて、中国に姿を見せるようになっていた。明代の1406年、異国の使節を迎え入れる「懐遠駅」が広州西関につくられ、以後、広州古城外の西関が発展した。またこの時代(1557年)、海賊討伐の功が認められたポルトガルが、広州近くのマカオへの滞在を許されている(南海経由ではじめてたどり着く中国が広州で、その後、マカオはオランダやイギリスなど西欧諸国の拠点となった)。清(1616〜1912年)代の1757年、中国の対外交易地は広州一港に限定され、西欧人はマカオに滞在し、許された期間だけ広州で交易を行なうようになった。その貿易事務、税務をとりもった中国商人が十三行で、沙面近くの「文化公園」に拠点がおかれていた。1840年、中国との交易拡大を求めるイギリスとのあいだでアヘン戦争が勃発し、敗れた清朝は広州のほかにも厦門や上海を開港させられることになった。そして、第2次アヘン戦争後の1861年、広州では珠江に面した「沙面」が西欧の租界となり、当時、建てられた欧風建築と美しい街並みは今も残っている。

近代 (19〜20世紀)

　アヘン戦争(1840〜42年)後にイギリスに割譲された香港には、西欧の思想や文化がいち早く入ってきて、その影響は地理的に近い広州にもおよぶようになっていた。海上交易の

拠点という役割は、広州から香港や上海へと遷ったが、皇帝
の暮らす北京から遠く、中国人と西欧人が同居する広州で
は先進的な気風が育まれた。孫文（1866〜1925年）をはじめと
する革命家が広州で活動し、1911年に辛亥革命が起こると
清朝は打倒された。続く中華民国（1912〜49年）時代に広州古
城東の東山が開発され、「黄花崗七十二烈士墓」「広州起義烈
士陵園」といった革命にちなむ遺構が見られるほか、華僑や
官吏の瀟洒な邸宅が「新河浦」や「東皋大道」に残っている。
孫文死後、広州東の「黄埔陸軍軍官学校」の初代校長だった
蔣介石（1887〜1975年）が国民党の実権を掌握し、1920〜30年
代の広州は中国屈指の繁栄を見せていたという。その様子
は当時建てられた孫文のための「中山紀念堂」、騎楼の続く
「上下九路」などからうかがうことができる。また第1次国
共合作は、1924年に広州で行なわれていて、中国共産党も
この街で積極的に活動していた。1937年に日中戦争がはじ
まり、翌1938年に日本軍が広州を占領すると、日本の会社や
日本人の姿が太平路（現在の人民路）で見られるようになった。
1945年に終戦を迎えたあと、中国は蔣介石の国民党と毛沢
東（1893〜1976年）の共産党の国共内戦に突入し、共産党が勝
利した。

現代（20世紀中ごろ〜）

　1949年、中国共産党による中華人民共和国が成立し、人
民解放軍は広州古城の大北門から入城したため、この通り
は解放路と名づけられている。人民解放軍は歴代王朝の官
衙のあった広州中心の「人民公園」に入り、現在、そこに面し
て広州市人民政府がおかれている。新中国以後、計画経済に
もとづいて国づくりが進められていたが、1978年に鄧小平
（1904〜97年）が実権をにぎると、資本主義の要素を導入する
改革開放が唱えられた。その実験の舞台となったのは、北京
から遠く離れた広東省で、香港に隣接する深圳、東莞、そし

て広州へと発展は広がっていった（1997年、香港はイギリスから中国へと返還された）。広州では20世紀末から、広州古城東郊外に過ぎなかった「天河」が新市街として整備され、2010年前後に高さ600mの「広州塔」、高さ440.75mの「広州西塔（広州国際金融中心）」、高さ530mの「広州東塔（広州周大福金融中心）」が次々にその姿を見せるようになった。広州天河はこの街の新たな政治、経済、文化の中心地となっていて、現在では隣接する深圳、東莞、香港、マカオなどとともに珠江デルタの巨大な華南経済圏を構成している。これを粤港澳大湾区と呼んでいる。

城市のうつりかわり

『世界大百科事典』(平凡社)

『日本人のための広東語』(頼玉華著・郭文灝修訂/青木出版印刷公司)

『广州传统中轴线 文化遗产一本通』(广州传统中轴线提升工作越秀区建设指挥部办公室)

『广州市地名志』(广州市地名委员会《广州市地名志》编纂委员会编/广东科技出版社)

『廣州』(黄菘華・楊万秀/中国建筑工業出版社)

『越秀区卷』(广州市文物普查汇编编纂委员会・越秀区文物普查汇编编纂委员会/广州出版社)

『荔湾区卷』(广州市文物普查汇编编纂委员会・荔湾区文物普查汇编编纂委员会/广州出版社)

『天河区卷』(广州市文物普查汇编编纂委员会・天河区文物普查汇编编纂委员会/广州出版社)

『黄浦区卷』(广州市文物普查汇编编纂委员会・黄浦区文物普查汇编编纂委员会[编]/广州出版社)

『番禺区卷』(广州市文物普查汇编编纂委员会・番禺区文物普查汇编编纂委员会[编]/广州出版社)

『海珠区卷』(广州市文物普查汇编编纂委员会・海珠区文物普查汇编编纂委员会[编]/广州出版社)

『南沙区卷』(广州市文物普查汇编编纂委员会・南沙区文物普查汇编编纂委员会[编]/广州出版社)

『花都区卷』(广州市文物普查汇编编纂委员会・花都区文物普查汇编编纂委员会[编]/广州出版社)

『白云山卷』(广州市文物普查汇编编纂委员会・白云山卷编纂委员会[编]/广州出版社)

广州文史 http://www.gzzxws.gov.cn/

广州图书馆 http://www.gzlib.org.cn/

The Metropolitan Museum of Art https://www.metmuseum.org/

OpenStreetMap

(C)OpenStreetMap contributors

はじめての広州／亜熱帯の「二千年都市」

まちごとパブリッシングの旅行ガイド

Machigoto INDIA , Machigoto ASIA , Machigoto CHINA

はじめての広州／亜熱帯の「二千年都市」

広州と華南

0km　　　　　　　　　　　　　　　　　　　　　　　　　1000km

N

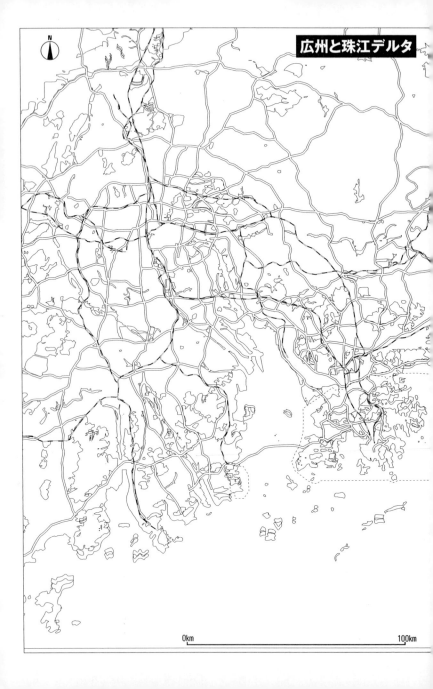

広州と珠江デルタ

N

0km 100km

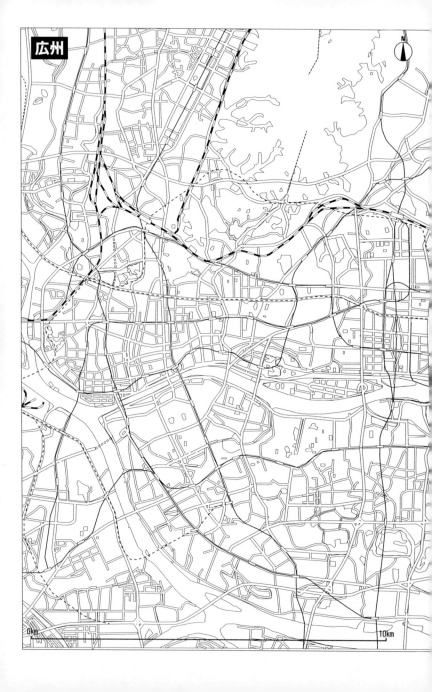

広州

N

0km   10km

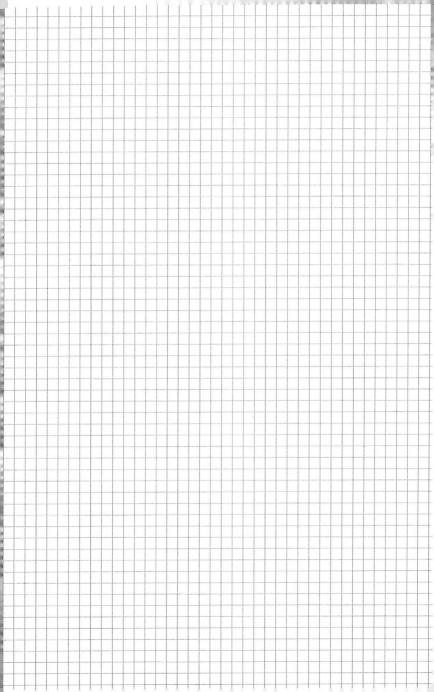

広州〜南海

0km　　　　　　　　3000km

海のシルクロード

0km　　　　　　　　5000km

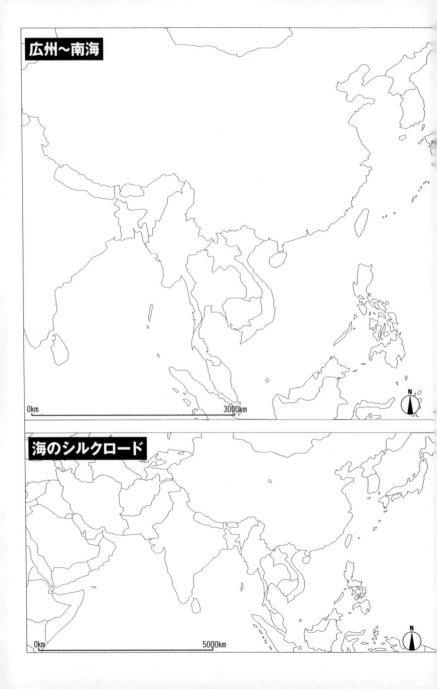

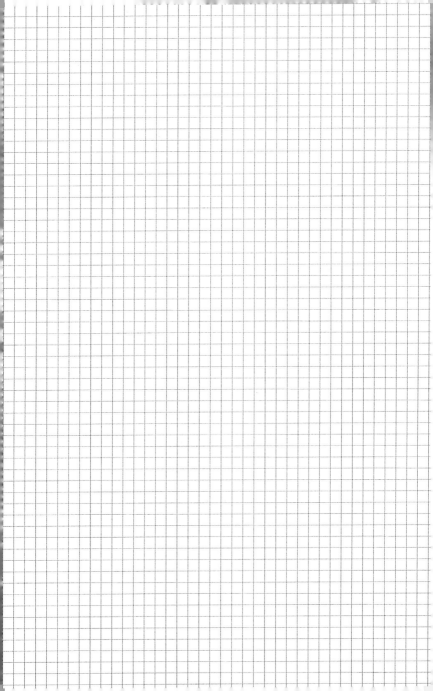

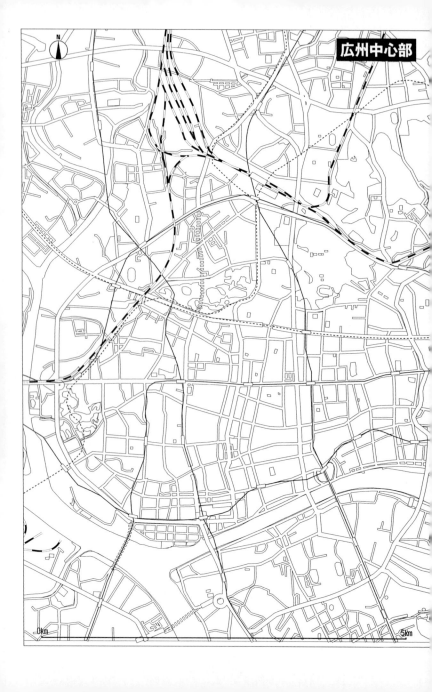

広州中心部

0km　　　　　　　　　　　　　　　　　　5km

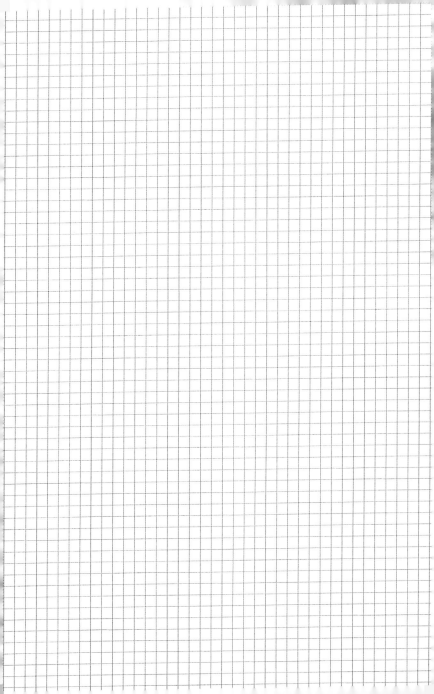

北京路

0km   1km

N

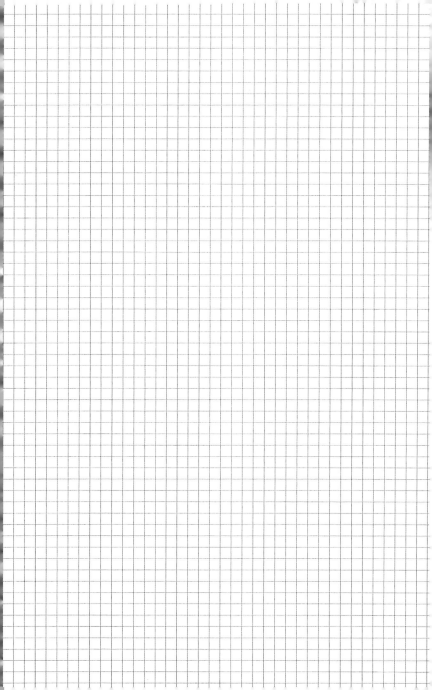

広州駅

N

0km 1km

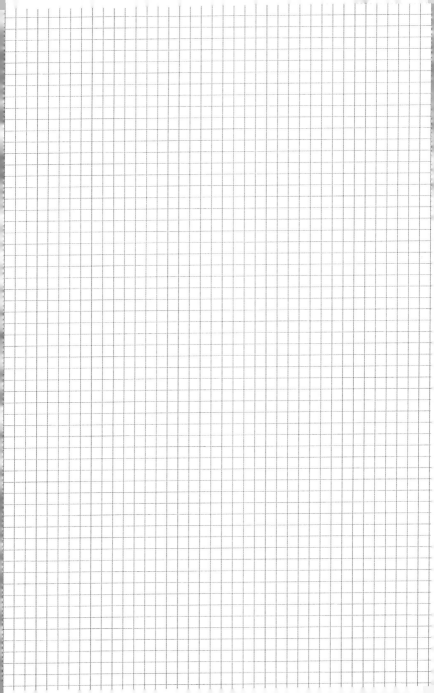

越秀公園

0km   1km

N

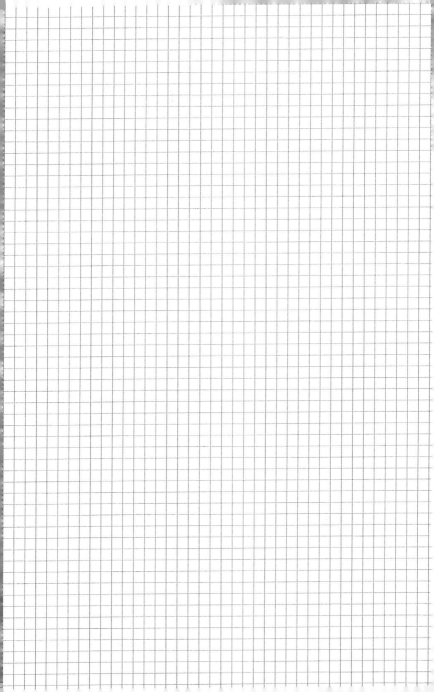

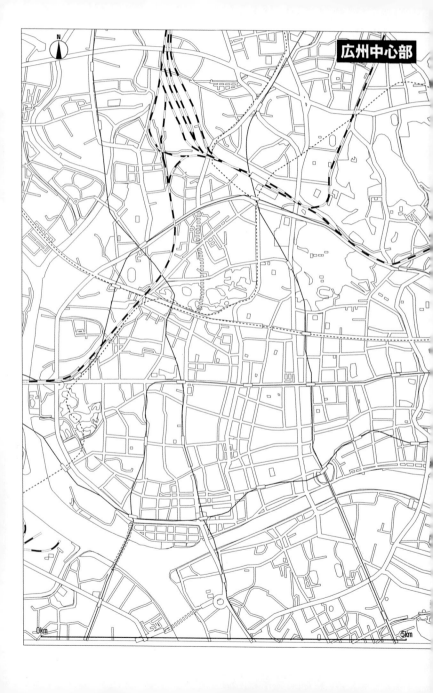

広州中心部

N

0km   5km

古城西部

0km
N
1km

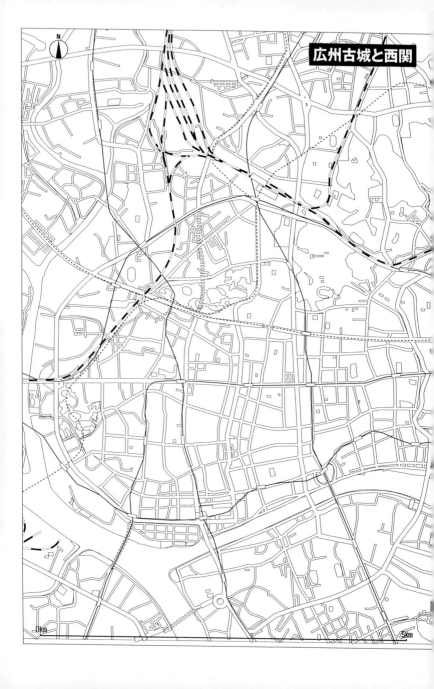

広州古城と西関

0km

5km

上下九路

0km   1km

珠江沿岸

0km 3km

沙面

0km 1km

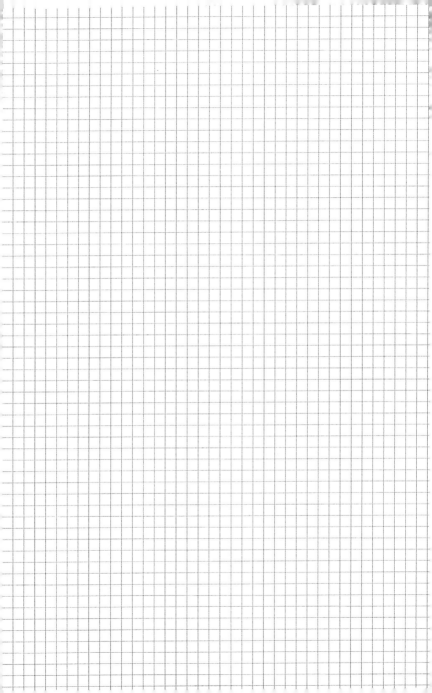

西関角

0km　　　　　　　　　　　　　　　　　　　　　　　1km

陳家祠

0km

1km

N

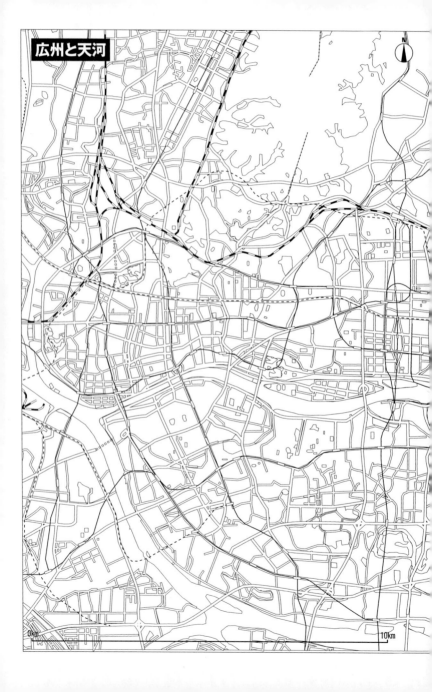

広州と天河

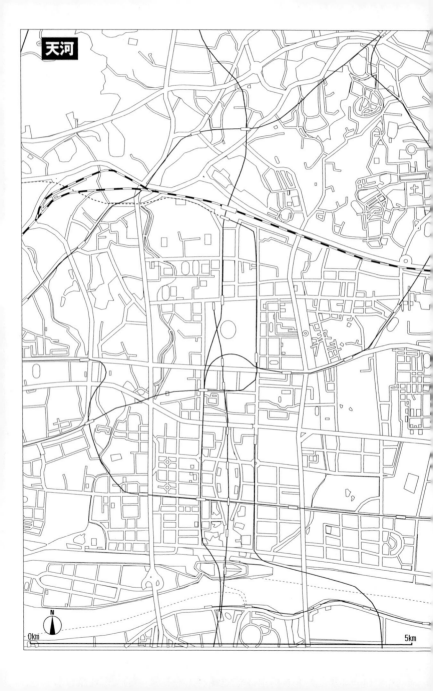

天河

N

0km   5km

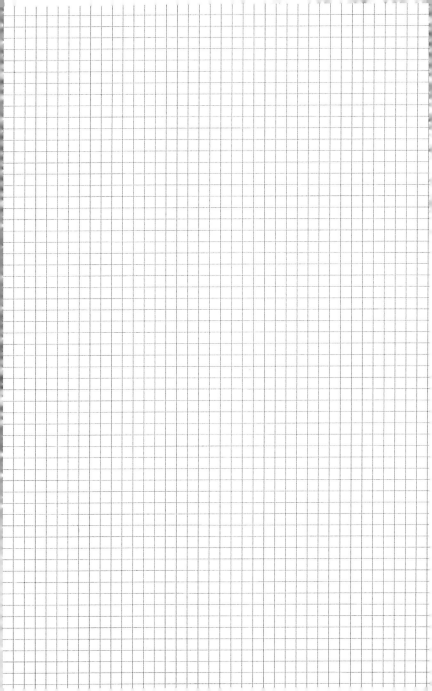

珠江新城

N

0km   2km

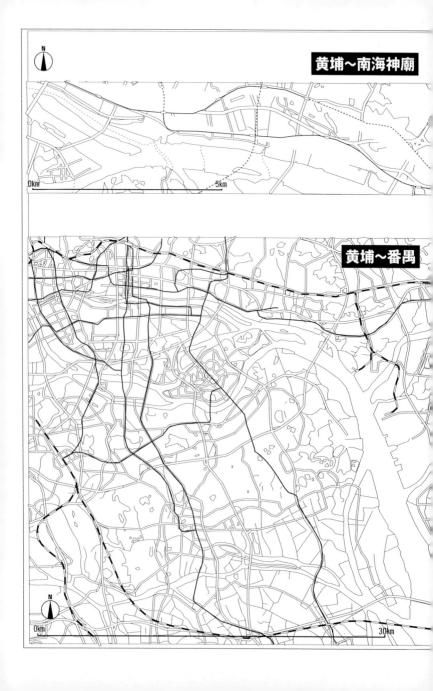

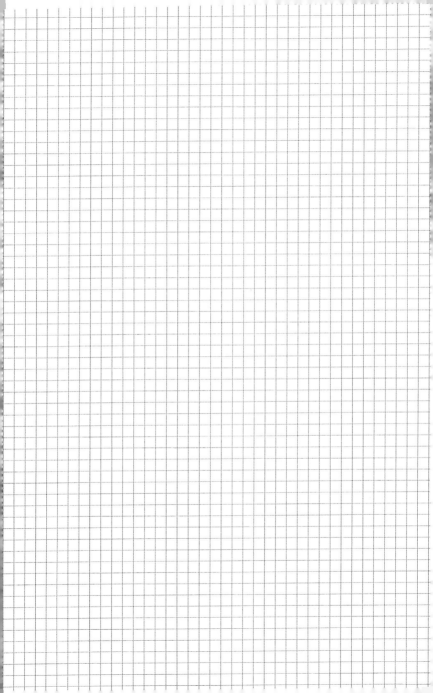

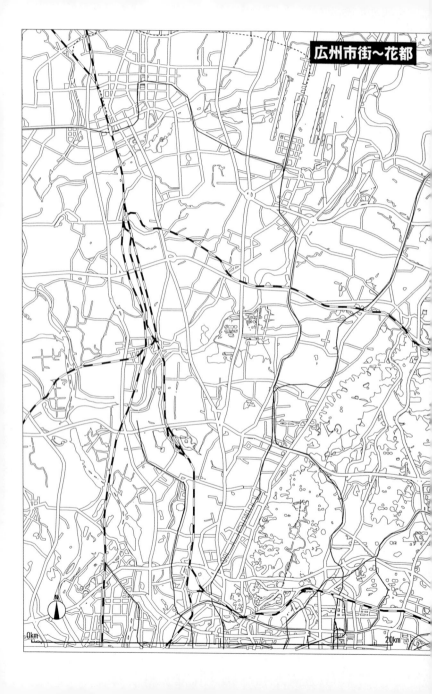

広州市街～花都

0km   20km

【車輪はつばさ】
南インドのアイラヴァテシュワラ寺院には
建築本体に車輪がついていて
寺院に乗った神さまが
人びとの想いを運ぶと言います

An amazing stone wheel of the Airavatesvara Temple
in the town of Darasuram, near Kumbakonam in the South India

まちごとチャイナ
広東省 002

はじめての広州
亜熱帯の「二千年都市」
［モノクロノートブック版］

「アジア城市（まち）案内」制作委員会
まちごとパブリッシング
http://machigotopub.com

・本書はオンデマンド印刷で作成されています。
・本書の内容に関するご意見、お問い合わせは、発行元の
　まちごとパブリッシング info@machigotopub.com までお願いします。

まちごとチャイナ

[新版] 広東省002はじめての広州
〜亜熱帯の「二千年都市」

2021年11月22日　発行

著　者　　「アジア城市（まち）案内」制作委員会
発行者　　赤松　耕次
発行所　　まちごとパブリッシング株式会社
　　　　　〒181-0013　東京都三鷹市下連雀4-4-36
　　　　　URL http://www.machigotopub.com/
発売元　　株式会社デジタルパブリッシングサービス
　　　　　〒162-0812　東京都新宿区西五軒町11-13
　　　　　清水ビル3F

印刷・製本　株式会社デジタルパブリッシングサービス
　　　　　URL http://www.d-pub.co.jp/

MP358